Make Your Own
Favorite Jewelry with Beads

フェイバリット・ビーズジュエリー

日柳佐貴子
Sakiko Kusanagi

Introduction

自分のつけるアクセサリーを作りたいと思ったときに、色数の豊富なビーズに出会い、ビーズジュエリーにのめりこんでいきました。さらに天然石をコーディネートすることによって広がるバリエーションや、ビーズ一粒一粒の本来の美しさに、いつも素直な気持ちで感動しながら作っています。色の相乗効果で、1色でも美しいものがもっと美しくなるように、本来の色の美しさが失われないようにしたいと思っています。

そして、まずフォルムのデッサンを描き、イメージをふくらませてカラーコーディネートをする……。これからも自分の絵を描くようにアクセサリーを作り続けていきたいです。

SAKISS
日柳佐貴子 Sakiko Kusanagi

Contents

カラーコーディネート・バリエーション 04
木馬たち 08
ギフトボックス 10
ティアドロップネックレス、リング&ピアス 12
グラデーションブレスレット&リング 14
ヒルトップリング・カラーバリエーション 15
フリルブレスレット、リング&ピアス 16
バロックパールのクロスネックレス&リング 18
スパイラルピアス&ボールピアス 20
スネークチョーカー&リング 22
カムフラージュチョーカー&リング 24
カムフラージュブレスレット 25
コーラルネックレス&リング 26
ミニバッグ&ローファー 27
フレーミングリング&ネックレス 28
ブラックレースチョーカー、ブレスレット&リング 30
バレエシューズ&ミニバッグ 32
アクアネックレス、ブレスレット&リング 34
ホワイトミックスネックレス&ブレスレット 36
ウェディングジュエリー 38
パールボールネックレス&ブレスレット、ピアス 40
フリルフラワーのブローチ 41
昆虫たち 42
エッフェル塔 44
楽器たち 46
クリスマスの夜 48

スワロフスキー・カラーネーム 50
作品の作り方 51

Blue ブルー系

Purple パープル系

SWAROVSKI
ART. 5301

ターコイズ
ライトサファイア
アクアマリン
ライトアゾレ
インディコライト

SWAROVSKI
ART. 5301

タンザナイト
ライトアメシストサテン
ライトサファイアサテン

SWAROVSKI
ART. 5301

モンタナ
サファイアサテン
コバルト
ダークサファイア

SWAROVSKI
ART. 5301

ライトサファイア
バイオレット
タンザナイト

SWAROVSKI
ART. 5301

アクアマリンサテン
サファイアサテン
インディコライト
タンザナイト
インディアンサファイア

SWAROVSKI
ART. 5301

タンザナイト
ライトアメシストサテン
アメシスト

Color Coordi

SWAROVSKI ART.5301＝スワロフスキー・クリスタル製そろばん形カットビーズ。 リングのデザイン→p.65 スクエアリング

Orange オレンジ系　　Green グリーン系

SWAROVSKI
ART. 5301

ホワイトオパール
ジョンキル
ライトピーチ
トパーズ

SWAROVSKI
ART. 5301

アクアマリンサテン
インディアンサファイア
エリナイト
ペリドットサテン

SWAROVSKI
ART. 5301

ライトコロラドトパーズ
トパーズ
レッドトパーズ
インディアンレッド
バーガンディ

SWAROVSKI
ART. 5301

ホワイトオパール
クリソライト
エリナイト
ライトアゾレ
ライトサファイア

SWAROVSKI
ART. 5301

スモーキークォーツ
ライトコロラドトパーズ
インディアンレッド
バーガンディ
スモークトパーズ

SWAROVSKI
ART. 5301

ペリドットサテン
ジョンキルサテン
オリビン
グリーントルマリン
トルマリン

nate Variation
カラーコーディネート・バリエーション

Brown ブラウン系   Gray グレー系

SWAROVSKI
ART. 5301

ライトコロラドトパーズ
トパーズサテン
トパーズ

SWAROVSKI
ART. 5301

ホワイトオパール
ライトアゾレ
ライトサファイア
シャドークリスタル

SWAROVSKI
ART. 5301

ライトコロラドトパーズ
ライトアメシストサテン
クリスタルサテン

SWAROVSKI
ART. 5301

ライトサファイアサテン
モンタナ
クリスタルサテン

SWAROVSKI
ART. 5301

ライトコロラドトパーズ
スモークトパーズ
スモーキークォーツ

SWAROVSKI
ART. 5301

ライトアメシストサテン
ライトサファイアサテン
クリスタルサテン
ブラックダイアモンド

Color Coordi

SWAROVSKI ART.5301＝スワロフスキー・クリスタル製そろばん形カットビーズ　リングのデザイン→p.65スクエアリング

Pink ピンク系   Yellow イエロー系

SWAROVSKI
ART. 5301

ホワイトオパール
ライトローズサテン
ローズサテン
バイオレット

SWAROVSKI
ART. 5301

クリスタル
ジョンキル
クリソライト
ライトアゾレ

SWAROVSKI
ART. 5301

ライトローズサテン
ローズサテン
ホワイトオパール
フューシャ
シャドークリスタル

SWAROVSKI
ART. 5301

ジョンキル
ライム
ジョンキルサテン
ライトアメシストサテン

SWAROVSKI
ART. 5301

フューシャ
ルビー
アメシスト
ガーネット

SWAROVSKI
ART. 5301

ジョンキル
トパーズ
ライトコロラドトパーズ
ジョンキルサテン

nate Variation

カラーコーディネート・バリエーション

木馬たち

ちょっとした編み方のアレンジでシルエットが変わります。首をぴんと伸ばすと子馬のよう。出来上がった木馬には、テグスをビーズの中に通してしっかりと仕上げてください。→ p.60

Rocking Horses

Gift Box

ギフトボックス

こんな小さなプレゼントをもらったら誰でもうれしいはず。色や形、サイズを変えて作って、チェーンを通せばペンダントトップにも。服に合わせるときは、色味を抑えたほうがすてきです。
→ p.56、58、86

ティアドロップ
ネックレス、
リング＆ピアス

かわいいしずく形の天然石をシンプルなネックレスに仕上げました。同系色のビーズと合わせて、やさしい色合いでまとめましょう。おそろいのリングとピアスを作ってセットにします。
→ p.65

Teardrop Ring
& Pierced Earrings

Teardrop Necklace

グラデーション ブレスレット&リング

直径6mmのビーズをメインに、ボリュームのあるブレスレットを作りました。リングのデザインは、ヒルトップリング。2色のピンク系スワロフスキービーズを使って作り、色に深みを出してあります。→ p.53、66

Gradation Bracelet & Hilltop Ring

Hilltop Ring in Various Colors

**ヒルトップリング・
カラーバリエーション**

大きめのスワロフスキービーズは、とてもきれいな色で透明感があります。そのカットの美しさを生かしたリング33色のバリエーション。色名（英語表記）は、p.50にあります。→ p.53

Frilled Bracelet

Hilltop Ring & Pierced Earrings

フリルブレスレット、リング&ピアス

ビーズでフリルを作ってみました。タイトなシルエットのファッションに合わせるジュエリーは、ゴージャスに。でも、色合せはシックに楽しみます。リングのデザインは、ヒルトップリングです。→ p.53、66、67

Baroque Pearl Cross Necklace & Ring

バロックパールの
クロスネックレス
＆リング

大人のクロスが欲しくて作りました。パールの微妙なグラデーションがきれいです。シンプルなシャツに合わせて。クロスのペンダントトップをはずしても、存在感のあるネックレスとして使えます。→ p.67、68

Spiral Pierced Earrings
& Ball Pierced Earrings

スパイラルピアス
&ボールピアス

ピアスのフックは透明タイプを使います。スパイラルピアスはねじりながら作ります。ころんとしたピアスは、色のコントラストを抑えて普段使いに。色違いでいくつあってもいいデザインです。→ p.69

スネークチョーカー
&リング

作っていると自然にねじれてきますが、身に着けると首にフィットします。華奢なリングと合わせてシャープ感を演出してください。ベージュ系のチョーカーは、同じ編み方で大きめのビーズを使用しています。→ p.70

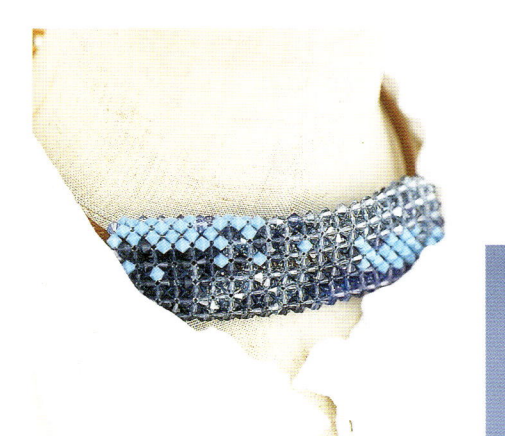

Camouflage
Choker & Ring

**カムフラージュ
チョーカー&リング**

カムフラージュ模様を少しくずしてブルーでまとめ、アクセントにターコイズを使いました。チューブ状なので、細いベルトを通してバックル風に、ウエストをマークするのもすてきです。
→ p.71

Camouflage
Bracelet

カムフラージュ
ブレスレット

迷彩カラーでもチープにならないボリュームのあるカムフラージュブレスレットは、きちっとしたスタイルをくずして、コーディネートをおしゃれに仕上げます。→ p.71

Coral Necklace & Ring

コーラルネックレス & リング

祖母からもらった大粒のさんご（コーラル）のペンダントトップは、長い間しまってあったのですが、アレンジしてみたらとても出番の多いネックレスになりました。小粒のさんごのリングと合わせて。→ p.72

Turquoise Bag,
Turquoise Shoes
& Coral Shoes

ミニバッグ＆ローファー

カジュアルな装いに合わせたい、さんごとトルコ石のアクセサリー。遊び心のあるミニバッグやローファーのモチーフは、ペンダントトップやキーホルダー、バッグのアクセントにぴったりです。→ p.72、73

Framing Ring & Necklace

フレーミングリング
&ネックレス

スワロフスキーの大粒のクリスタルを
小さなビーズで額縁のように囲むと、
中心の透明感がさらに引き立ちます。
ペンダントトップやリングをはじめ、
ピアスなどにもアレンジできます。
→ p.73〜75

Black Lacy Bracelet & Ring

Black Lacy Choker

ブラックレースチョーカー、ブレスレット＆リング

大きめのビーズを組み合わせて大ぶりのチョーカーを作り、同系色の服に合わせましょう。まるでオートクチュールの刺繍のようです。ブレスレットやリングは、あっさりとしたデザインで。
→ p.75

Ballet Shoes
& Mini Bag

バレエシューズ
&ミニバッグ

未来のバレリーナたちのレッスンバッグにつけてあげたいアクセサリー。もちろんペンダントトップやブローチにも……。ミニバッグには短めのチェーンを作りました。→ p.54、76

Aqua Necklace, Bracelet & Ring

アクアネックレス、ブレスレット＆リング

空と海をイメージしたアクアマリンカラーのネックレスは、夏のスタイルを涼しくしてくれます。ブルートパーズやアパタイトをメインに使って、ひんやりするほどのボリュームにしました。→ p.76、77

White-mixed Necklace & Bracelet

ホワイトミックスネックレス &ブレスレット

つや消しのチェコビーズは上品でさり気ないのに、ファッションを際立たせます。また、パールなどをプラスすることにより、白いアクセサリーでも一年中使うことができます。→ p.78

Wedding Jewelry

ウェディングジュエリー

清楚なレースの花びらが重なったフリルの花を、チョーカーにあしらいます。取りはずせばシンプルなチョーカーと華やかなリングとして使うこともできます。また、ブレスレットにアレンジして手首に花をつければ、可憐な雰囲気に……。→ p.79

Pearl Ball Necklace & Bracelet

**パールボールネックレス
　＆ブレスレット、ピアス**

ピンクの小さいパールで作られたボールをテグスに通しただけのシンプルなデザインですが、ベージュ系のビーズとの組合せで、上品なよそゆきになります。→ p.80

Pearl Ball Pierced Earrings

Frilled Flower Brooch

フリルフラワーのブローチ

ボリュームのあるリッチな花のブローチです。大きめの天然石、アメシストを中心に使いました。重さがあるので、コートやジャケットなどにつけるのがいいでしょう。→ p.80

Little Bugs

昆虫たち

かみきり虫の触覚と足は、ワイヤを使ってリアルに表現しています。せみは生まれたての透明感のある一瞬をイメージしました。蝶は羽が大きく広がっているので、飾るだけでなく、気に入った洋服などにとめつけて楽しんでください。→ p.81、82

エッフェル塔

エッフェル塔のフォルムが好きです。下から見上げたり、上空から見下ろしたり……。完成したら、真下からのぞいてみてくださいね。きれいな小さい宇宙が見えるはずです。→ p.83

Eiffel Tower

Symphonic Orchestra

楽器たち

コンサートに出かけるときは、お気に入りの楽器をブローチに仕立てて楽しみましょう。バイオリン、ホルン、ハープ……どの楽器も美しい形をしています。音色を想像しながら作ると、優雅な気分になれます。→ p.82、84

クリスマスの夜

静かな夜に飾って楽しみたいオブジェ。小さなツリーやプレゼントボックスはオーナメントとして、もみの木やリースに飾ってもいいでしょう。チェーンを作って、ペンダントトップにもどうぞ。→ p.85、86

Silent Night

Swarovski Color Names

- Ruby
- Indian Red
- Fuchsia
- Olivine
- Jonquil Satin
- Lime
- Chrysolite
- Green Turmaline
- Erinite
- Peridot Satin
- Rose Satin
- Smoked Topaz
- Light Colorado Topaz
- Topaz
- Amethyst Satin
- Violet
- Light Amethyst Satin
- Tanzanite
- Montana
- Sapphire Satin
- Indicolite
- Light Peach
- Crystal
- White Opal
- Shadow Crystal
- Crystal Satin
- Black Diamond
- Jet
- Indian Sapphire
- Light Sapphire
- Light Azore
- Light Sapphire Satin
- Aquamarine Satin

How to Make

Do as follows!

作り始める前に

この本の作品は、おもにテグスを使ったビーズジュエリーです。基本的にはどの作品（パーツ）も、用意したテグスの中央に最初のビーズを通し、両端を持ってビーズを通していきます。2本のテグスをビーズの中で交差させながら、それぞれの図のように編んでいき、編終りは最後のビーズ（輪にする場合は最初のビーズ）に2本のテグスを通して交差させた後、編み戻ります。編み戻ることにより、形がしっかり整い、作品の強度も増して壊れにくくなるので、特にリングは全体に編み戻ることをおすすめします。材料に「補強分のテグス」があるものは、ネックレスのアジャスター部分などが1本のテグスでは切れてしまう心配のあるものや、形をしっかりさせたい作品です。後でテグスが切れて悲しい思いをしないために、めんどうでも補強をしましょう。詳しくは、p.86を参照してください。

材料のビーズは、作品に使用したものを明記してありますが、好きなビーズに替えて作ることもできます。その場合、大きさはほぼ同じものを用意してください。デザインによっては、形がうまく整わなかったり、出来上りのサイズが変わってきてしまいます。また、つける人のサイズに合わせる場合は体にあてながら、1模様プラスしたり、小さいビーズを増減して調節します。左右対称になるデザインの場合は、左右を均等に増減してください。

必要な道具は、はさみだけ。ピンセットと目打ちは、テグスを編み戻すときにあるととても便利です。先の細いラジオペンチは、ブローチ台のつめを倒すときに使います。p.53〜64は基本になるテクニックを含んだ作品を、やさしくできる順番にプロセス写真とイラストで説明します。

Hilltop Ring

ヒルトップリング　出来上りサイズ＝約10号　写真→ p.15

材料
スワロフスキー5301そろばん形ビーズ（インディアンレッド）直径4mm32個、直径6mm8個　丸小ビーズ（テラコッタ色）適宜　テグス3号90cm

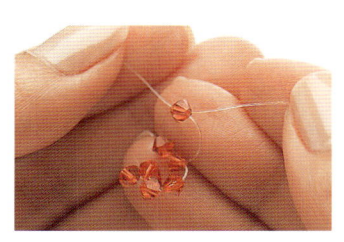

1　テグスの中央に4mmビーズを3個通し、図のように交差させて1段目を編む。

2　6mmビーズを入れながら、2段目を編む。

3　3段目は両端に4mmビーズがくるように編む。

4　4段目は4mmビーズだけで編む。

5　5段目は1段目と同様に編む。

6　テグスの位置を移動し、4mmビーズを入れてテグスを交差させる。

7　リングの裏側のチェーンをサイズに合わせて丸小ビーズで作り、4mmビーズを通す。

8　1段目の両端のビーズにテグスを通してリング状につないだら、残ったテグスをビーズに通して編み戻り、しっかり仕上げる。

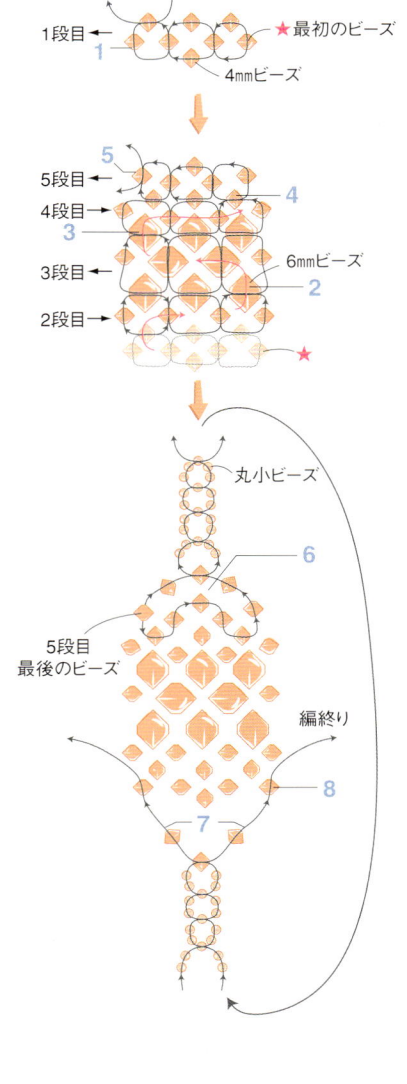

9　出来上り。

Ballet Shoes

バレエシューズ　出来上りサイズ＝長さ4cm　写真→ p.33

材料（1個分）
スワロフスキー5301 そろばん形ビーズ（ローズサテン）直径4mm 74個
テグス3号 100cm＋60cm

その他の使用色名
p.33 右上写真の右側＝クリスタル、左側＝ホワイトオパール
p.33 右下写真の奥側＝ライトローズサテン

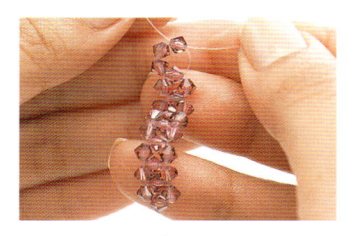

1　テグスの中央にビーズを4個通し、4個目で交差させて四角形を作る。これを8個作り、シューズの側面を作る。

2　側面から折り返すように、かかとと底を編んでいく。

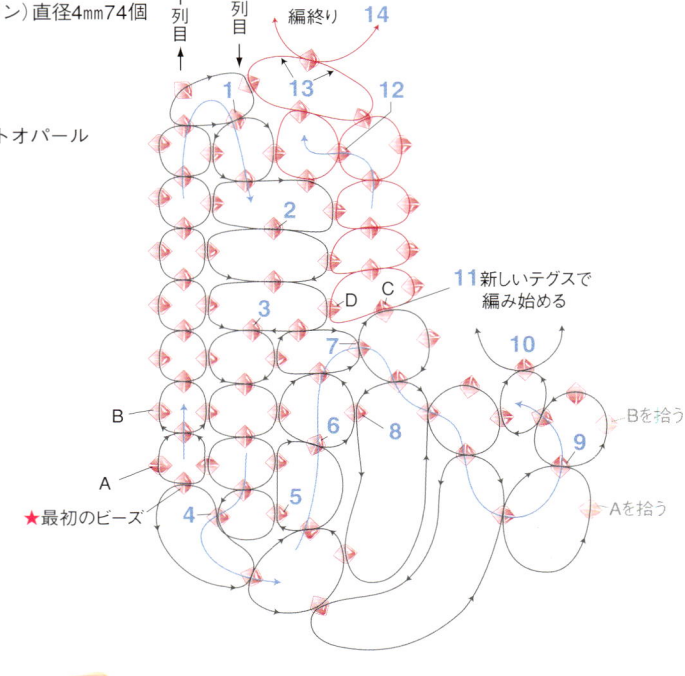

3　底は途中で五角形を二つ作り、土踏まずのカーブを出す。

4　つま先部分の編始め。

5　2列目のビーズを1個拾い、そのとなりのビーズも拾う。

6　つま先部分が、立体的に丸まってくる。

7　底の編終り。

8　甲の部分の編始め。

9　Aのビーズを拾って、甲の部分をとじていく。

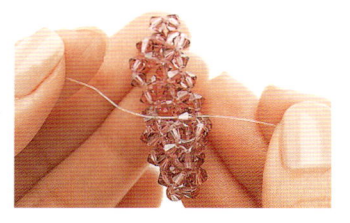

10　甲の部分の出来上り。残ったテグスは、甲の部分を編み戻ってから切る。

11　新たなテグスで、CとDのビーズを拾う。

12　残りの側面を編む。

13　かかとの残りを編む。

14　編み終わったところ。残ったテグスはビーズに通して編み戻り、しっかり仕上げる。

15　出来上り。

Gift Box

ギフトボックス（角形）　出来上がりサイズ＝約2.5cm角　写真→p.10

材料
スワロフスキー5301そろばん形ビーズ（インディコライト）直径4mm 160個（本体）、（ライトサファイア）直径4mm32個、直径3mm30個（リボン）　テグス3号適宜

1 テグスの中央にビーズを4個通し、4個目で交差させて四角形を作る。これを4個作り、1段目を編む。

2 リボンの色の4mmビーズを入れながら、2段目を編む。

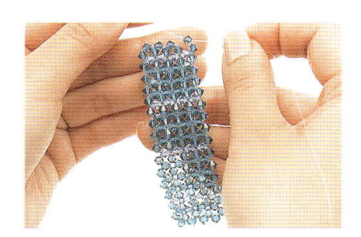

3 図のとおりにリボンの色のビーズを入れながら編み、15段目が編み終わったところ。

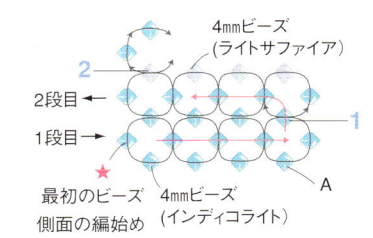

4 16段目は、1段目を拾いながら輪にする。

5 ボックスの側面の出来上がり。

6 続けて底面を編み始める。

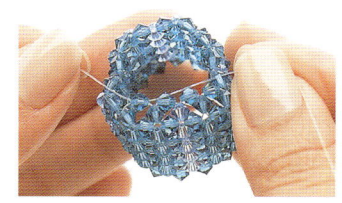

7 側面のビーズを拾いながら、往復して底面を編む。

8 底面はリボンの色のビーズを十字に入れる。

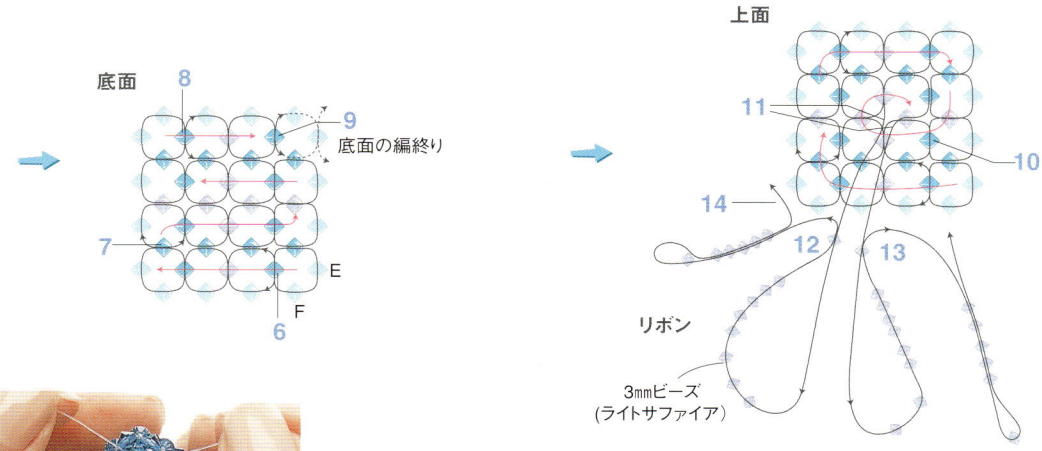

底面　8
9　底面の編終り
7
E
F
6

上面
11
10
14　12　13
リボン
3mmビーズ
(ライトサファイア)

9　底面の編終り。残ったテグスをビーズに通し、編み戻ってから切る。

10　上面は新たなテグスを角に通し、側面のビーズを拾いながら、ぐるぐる回りから編む。

11　リボンの色のビーズを十字に入れながら編み、上面がうまったらテグスを中心に出す。

12　3mmビーズを通して、リボンの輪を作る。

13　もう1本のテグスも同様にして、リボンの輪の出来上り。

14　リボンの端を2本作り、残ったテグスをビーズに通して編み戻り、上面のビーズにも通してしっかり仕上げる。

15　出来上り。

57

Gift Box

ギフトボックス(円形)　出来上りサイズ＝直径約3×高さ約2cm　写真→ p.10

材料
スワロフスキー5301そろばん形ビーズ(ライトサファイア)直径4mm 148個(本体)、(インディコライト) 直径4mm30個、直径3mm30個(リボン)　テグス3号適宜

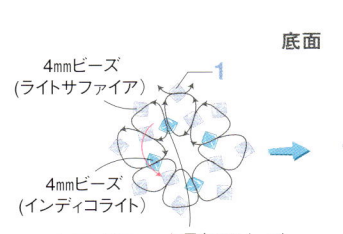

4mmビーズ(ライトサファイア)
4mmビーズ(インディコライト)
底面1段目 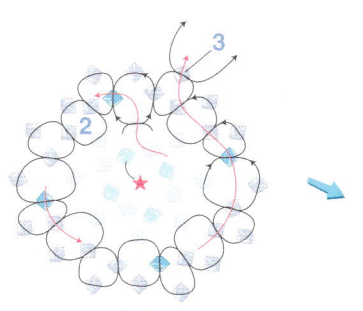
★最初のビーズ

底面
底面2段目

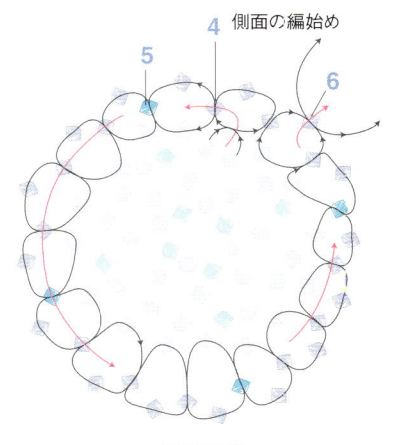

4 側面の編始め
5
6
側面1段目

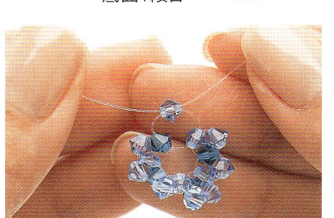

1 底面の中心から編み始める。リボンの色の4mmビーズを入れながら、1段目を編む。

2 2段目は交互に1段目を拾いながら編んでいく。

3 2段目が編み終わったところ。底面の出来上り。

4 側面の編始め。

5 側面は2段目を拾いながら、1周編んでいく。

6 側面の1段が編み終わり、立ち上がる。

7 さらに2段、同じようにぐるぐると編んで、テグスは編み戻して切る。

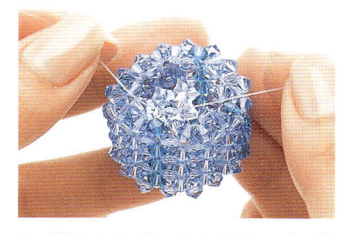

8 新たなテグスをAのビーズに通し、上面1段目は側面を拾いながら編んでいく。

58

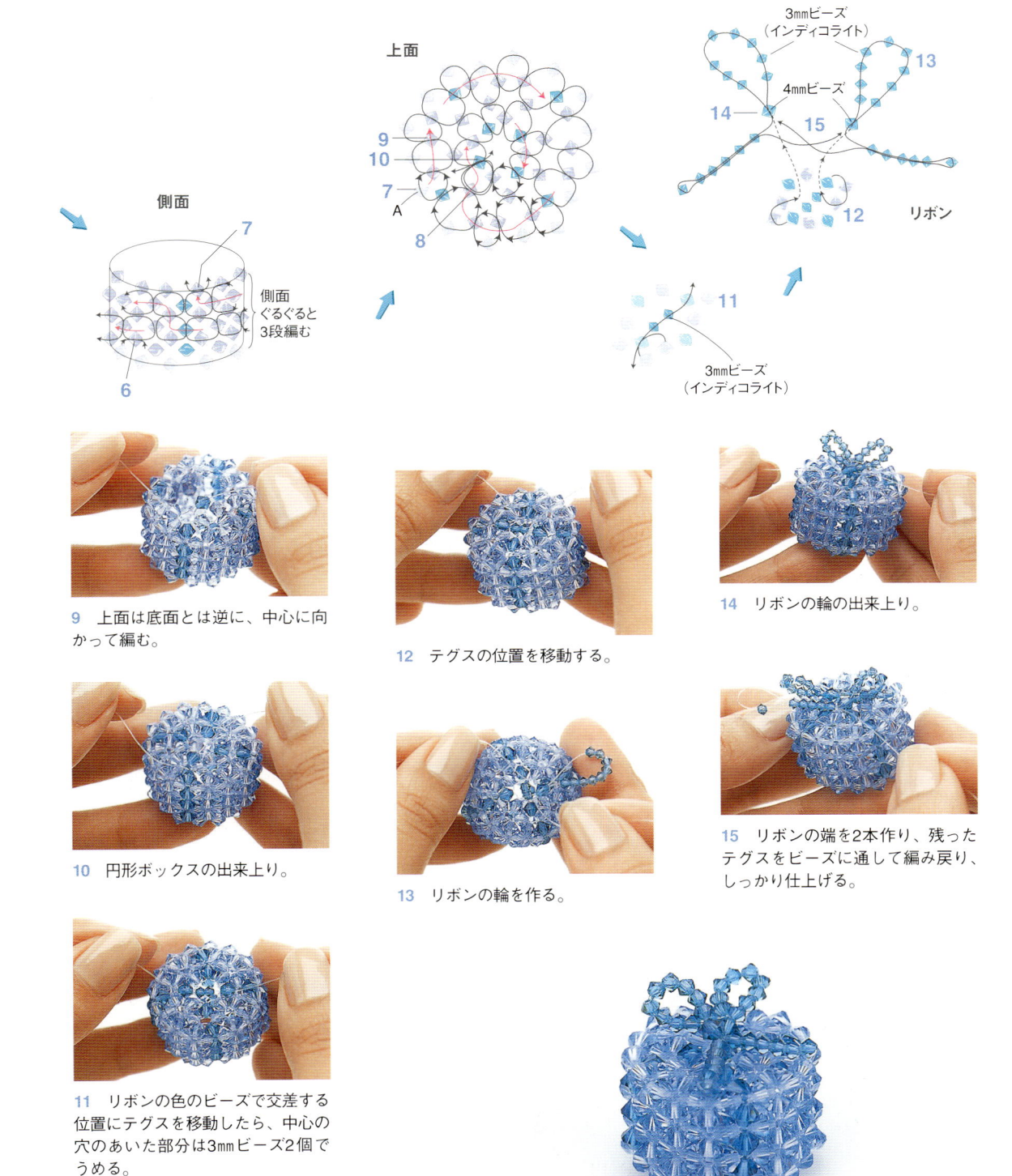

側面

上面

3mmビーズ
（インディコライト）

4mmビーズ

リボン

3mmビーズ
（インディコライト）

側面
ぐるぐると
3段編む

9 上面は底面とは逆に、中心に向かって編む。

12 テグスの位置を移動する。

14 リボンの輪の出来上り。

10 円形ボックスの出来上り。

13 リボンの輪を作る。

15 リボンの端を2本作り、残ったテグスをビーズに通して編み戻り、しっかり仕上げる。

11 リボンの色のビーズで交差する位置にテグスを移動したら、中心の穴のあいた部分は3mmビーズ2個でうめる。

16 出来上り。

59

Rocking Horse

木馬　出来上りサイズ＝高さ約7.7×長さ約8cm　写真→ p.8

材料
スワロフスキー5301そろばん形ビーズ（ライトコロラドトパーズ）
直径3mm38個（顔25個+胸1個+耳12個）、直径4mm227個（頭と首37個+胴体70個+脚120個）、（ライトアメシストサテン）直径4mm28個（たてがみ）、（スモークトパーズ）直径3mm2個（目）、（スモーキークォーツ）直径4mm24個（ひづめ）、（トルマリン）直径3mm316個（くつわ10個+土台板284個+手綱22個）、直径4mm29個（くつわ21個+鞍のベルト8個）、（インディコライト）直径4mm10個（鞍）、（ライトサファイア）直径4mm14個（鞍）、（サファイアサテン）直径4mm9個（鞍）、（ダークサファイア）直径4mm4個（鞍）、（タンザナイト）直径4mm17個（鞍14個+しっぽ3個）、直径3mm22個（しっぽ）　テグス3号適宜

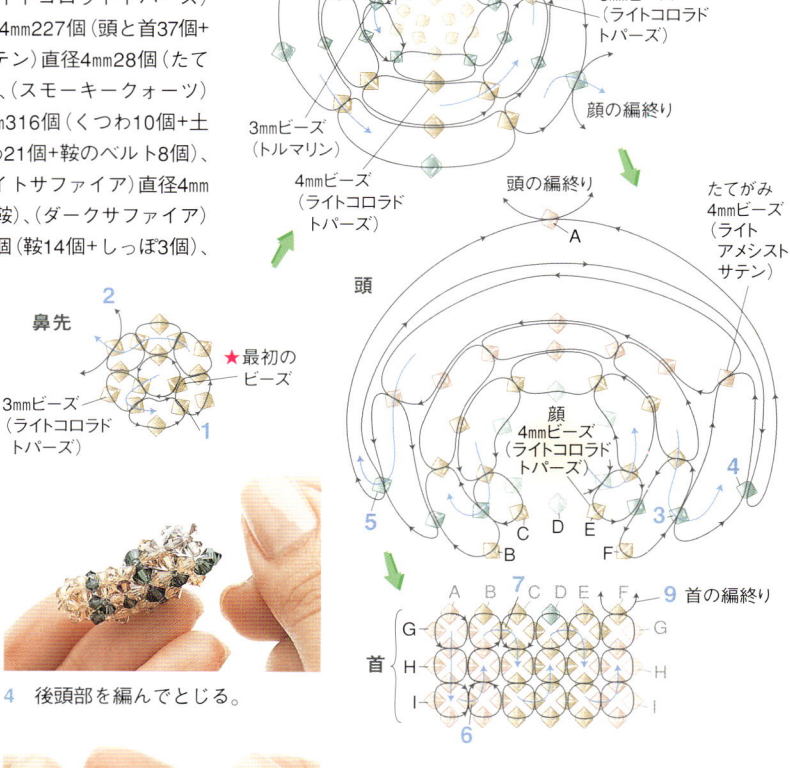

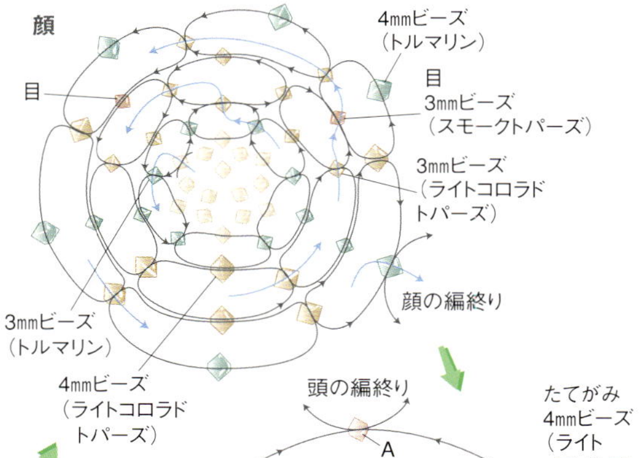

顔
4mmビーズ（トルマリン）
目
3mmビーズ（スモークトパーズ）
目
3mmビーズ（ライトコロラドトパーズ）
顔の編終り
3mmビーズ（トルマリン）
4mmビーズ（ライトコロラドトパーズ）

頭の編終り

頭
たてがみ 4mmビーズ（ライトアメシストサテン）
A
顔 4mmビーズ（ライトコロラドトパーズ）
B C D E F
3 4 5

首
A B C D E F　9 首の編終り
G — G
H — H
I — I
6 7

鼻先
★最初のビーズ
3mmビーズ（ライトコロラドトパーズ）
1 2

1　鼻先から編み始める。

2　しっかりテグスを引き締め、立体的な鼻先を作る。

3　頭の側面と額は往復して編み、首の部分はあけておく。

4　後頭部を編んでとじる。

5　頭ができて、下から見たところ。

6　Aのビーズを拾って、たてがみを編む。

7　たてがみから続けて、首を編む。

8　頭のあいている部分のビーズを拾いながら、往復して首を編む。

9 首が筒状になったら、頭部の出来上り。残ったテグスは2、3模様編み戻してから切る。

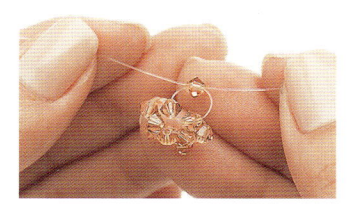

10 胴体は、おしりから編み始める。

11 2段目の編終り。その後もぐるぐる編んでいく。

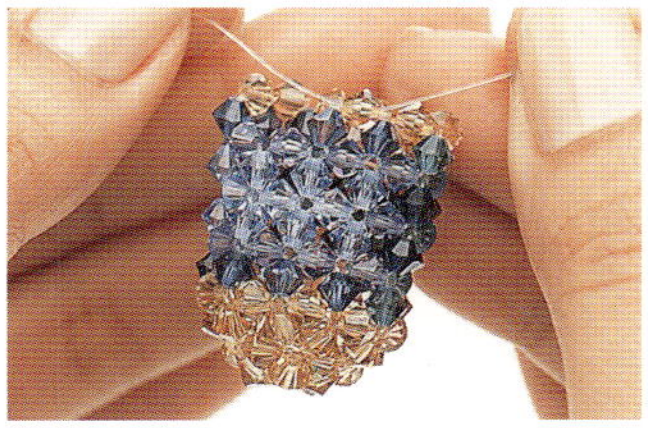

12 鞍の模様を入れながら、6段目まで編む。

13 首の下のビーズを拾いながら、胴体とつなぎ合わせていく。

14 反対側も同じ位置のビーズを拾い、つなぎ合わせる。

15 手綱の色のビーズを編み込んでいく。

16 胸の部分をとじる。

17 胴体部分の出来上り。残ったテグスは2、3模様編み戻してから切る。

胴体

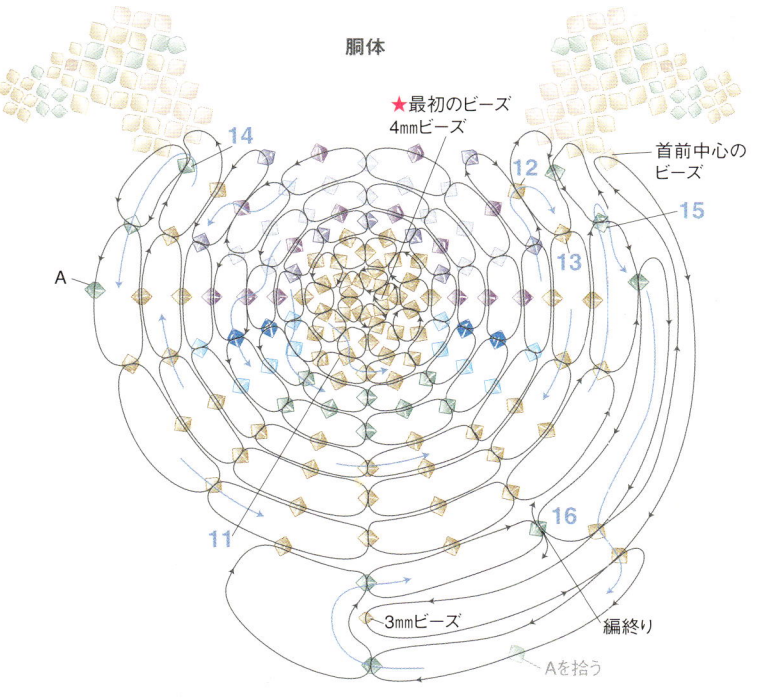

★最初のビーズ 4mmビーズ
首前中心のビーズ
A
14
12
15
13
11
16
3mmビーズ
編終り
Aを拾う

◇…ライトコロラドトパーズ　◇…インディコライト　◇…タンザナイト　◇…サファイアサテン
◇…ダークサファイア　◇…トルマリン　◇…ライトサファイア

61

18　新たなテグスで胴体のビーズを拾い、脚を編んでいく。

19　往復して編んだら、3列目は1列目のビーズを拾って三角形の筒状にする。

20　脚の編終り。残ったテグスは編み戻って、しっかり仕上げた後、できるだけ胴体の中のビーズにも通してから切る。

21　同じように、4本の脚を作る。

22　新たなテグスで頭のビーズを拾い、耳を編み始める。

23　耳の編終り。残ったテグスは、耳の中に編み戻して切る。

24　同じようにもう一つの耳を作る。

脚

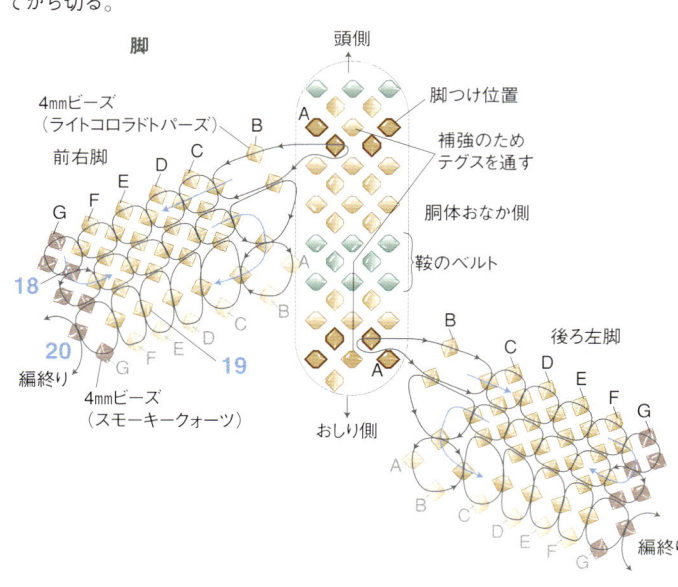

4mmビーズ（ライトコロラドトパーズ）
前右脚
頭側
脚つけ位置
補強のためテグスを通す
胴体おなか側
鞍のベルト
4mmビーズ（スモーキークォーツ）
編終り
おしり側
後ろ左脚
編終り

耳
3mmビーズ（ライトコロラドトパーズ）
編終り
目

62

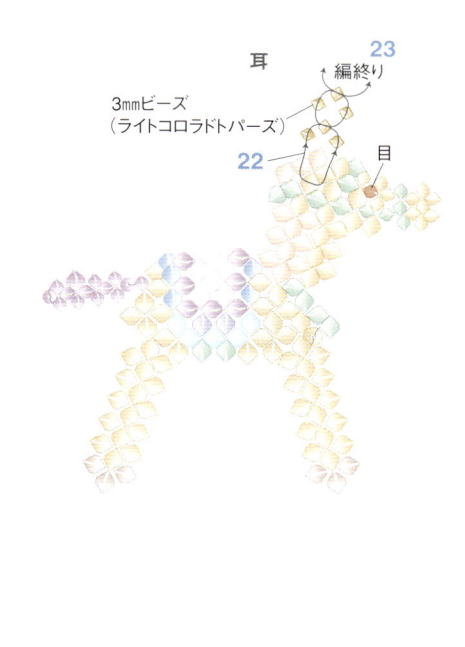

胴体

しっぽ

- おしりの中心
- 3mmビーズ（タンザナイト）
- 3個のみ4mmビーズ（タンザナイト）
- Aを拾う
- 1列目 **27**
- 3列目
- 編終り **28** **26**

土台板

- 最初のビーズ
- 1列目 2列目 3列目
- 3mmビーズ（トルマリン）
- ひづめを下から見る
- 編終り **29** → **35**
- **30** **31** **32** **33** **34** **37**

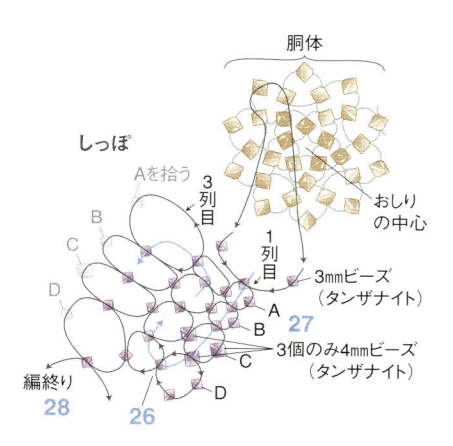

25 新たなテグスでおしりのビーズを拾い、しっぽを編み始める。

26 おしりのビーズの関係で、中心より少しずれてしっぽがつく。

27 3個のみ4mmビーズを入れながら、往復して編む。

28 3列目は1列目のビーズを拾って筒状にする。しっぽの出来上がり。

29 土台板を作る。テグスの中央にビーズを4個通し、4個目で交差させて四角形を作る。その後は同様に繰り返し、1列目を編む。

30 2列目は、1列目のビーズを拾いながら編む。

31 3列目は1列目のビーズを拾いながら、三角形の筒状にしていく。

32 途中で脚のひづめのビーズを拾いながら、とじ合わせていく。

33 ひづめのビーズの拾い方。

34 再び、3列目は1列目のビーズを拾いながら、筒状にしていく。

35 土台板の出来上り。残ったテグスは編み戻ってしっかり仕上げる。

36 同じように、もう1本の土台板を作る。

反対側も同様に

38
39

3mmビーズ（トルマリン）11個

37 左右の土台板をつなぐ。テグスは、反対側の土台板のビーズに通してから編み戻り、土台板にしっかり通してから切る。

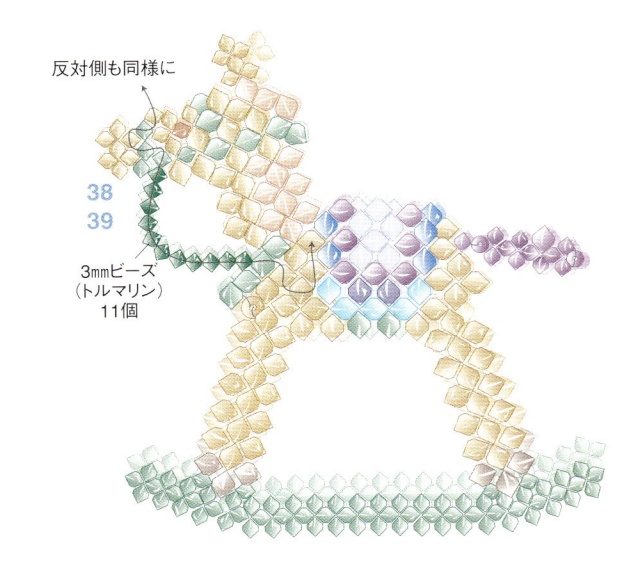

38 新たなテグスで顔のビーズを拾い、左右の手綱を作る。

39 手綱のテグスは胴体の中に編み入れて、丈夫に仕上げていく。

参考作品の使用色名
頭部、耳、胴体、脚＝ジョンキルサテン
目＝スモークトパーズ
たてがみ、しっぽ＝オリビン
ひづめ＝トルマリン
手綱、くつわ、土台板＝モンタナ
鞍＝モンタナ、ルビー、エリナイト、タンザナイト、サファイアサテン

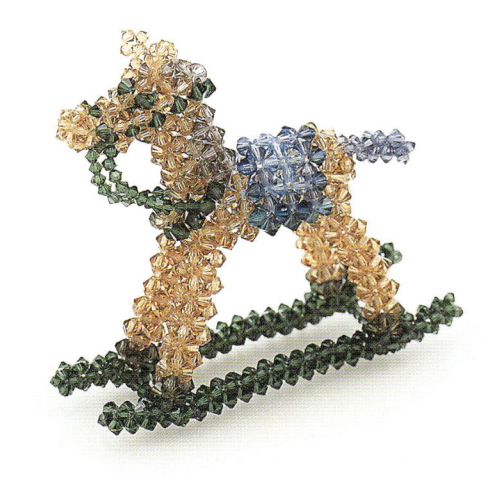

40 出来上り。

Color Coordinate Variation

写真 → p.04〜07

スクエアリング　出来上がりサイズ＝13号
材料　スワロフスキー5301そろばん形ビーズ（3〜5色）直径4mm 44個　丸小ビーズ適宜　テグス3号190cm
作り方　スクエア部分のそろばん形ビーズは、同系色や相性のいい色でバランスよくカラーコーディネートした3〜5色を用意し、ランダムに混ぜ合わせて使う。

Teardrop Necklace, Ring & Pierced Earrings

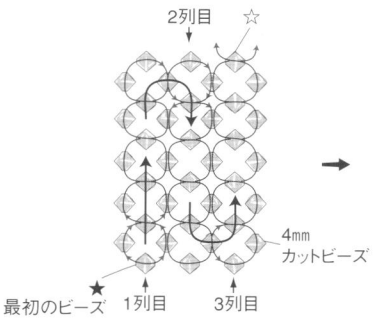

写真 → p.12、13

ピンク系ティアドロップネックレス　出来上がりサイズ＝36〜39cm
材料　ティアドロップ形天然石（ローズクォーツ）長さ12mm11個　スワロフスキー5301そろばん形ビーズ（ライトローズサテン）直径4mm2個、5000丸形ビーズ（ローズサテン）直径8mm1個　チェコファイアポリッシュ（グレー）直径3mm16個　丸小ビーズ（ピンク）適宜　テグス3号130cm、補強分40cm

ピンク系ティアドロップリング　出来上がりサイズ＝10号
材料　ティアドロップ形天然石（ローズクォーツ）長さ12mm3個　スワロフスキー5301そろばん形ビーズ（ライトローズサテン）直径4mm2個、（ローズサテン）直径3mm6個　丸小ビーズ（ピンク）適宜　テグス3号70cm

ピンク系ティアドロップピアス　出来上がりサイズ＝長さ2.5cm
材料　ティアドロップ形天然石（ローズクォーツ）長さ12mm2個　スワロフスキー5301そろばん形ビーズ（ライトローズサテン）直径4mm28個、（ローズサテン）直径3mm8個　ピアス用フック1組み　テグス3号70cm×2本

イエロー系の材料　ティアドロップ形天然石（ニュージェード）スワロフスキー5301、5000（ジョンキルサテン）　チェコファイアポリッシュ（薄グリーン）　丸小ビーズ（クリーム）　数量は、ピンク系と同じ

グリーン系の材料　ティアドロップ形天然石（フローライト）スワロフスキー5301、5000（エリナイト）　チェコファイアポリッシュ（薄グリーン）　丸小ビーズ（薄グリーン）　数量は、ピンク系と同じ

作り方　ネックレスの材料の補強分のテグスは、最初のビーズから同じように通してアジャスター部分を補強する。

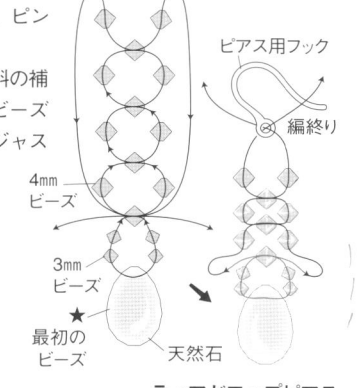

Gradation Bracelet & Ring

写真 → p.14

グラデーションブレスレット　出来上がりサイズ＝17×5cm
材料　スワロフスキー5301そろばん形ビーズ（シャドークリスタル）直径6mm26個、直径4mm26個、（ホワイトオパール）直径6mm7個、直径4mm8個、（ローズサテン）直径6mm6個、直径4mm2個、（ライトローズサテン）直径6mm26個、（クリスタルサテン）直径6mm7個、直径4mm30個、（ライトアメシストサテン）直径4mm21個、（ジョンキルサテン）直径3mm213個、直径4mm2個　スワロフスキー5000丸形ビーズ（ローズサテン）直径8mm1個　丸小ビーズ（ベージュピンク）適宜　テグス3号適宜

作り方　最初のビーズから図を参照して編み始める。片方のとめ具まで編んだらテグスは編み戻して切る。編始めの部分からビーズを拾いながら、もう一方のとめ具まで編む。

グラデーションリング　出来上がりサイズ＝約10号
材料　スワロフスキー5301そろばん形ビーズ（ローズサテン）直径4mm32個、（ライトローズサテン）直径6mm8個　丸小ビーズ（ピンク）適宜　テグス3号90cm

作り方　ヒルトップリング（→p.53）を参照。そろばん形ビーズの大小は、2色の濃淡を合わせて使う。

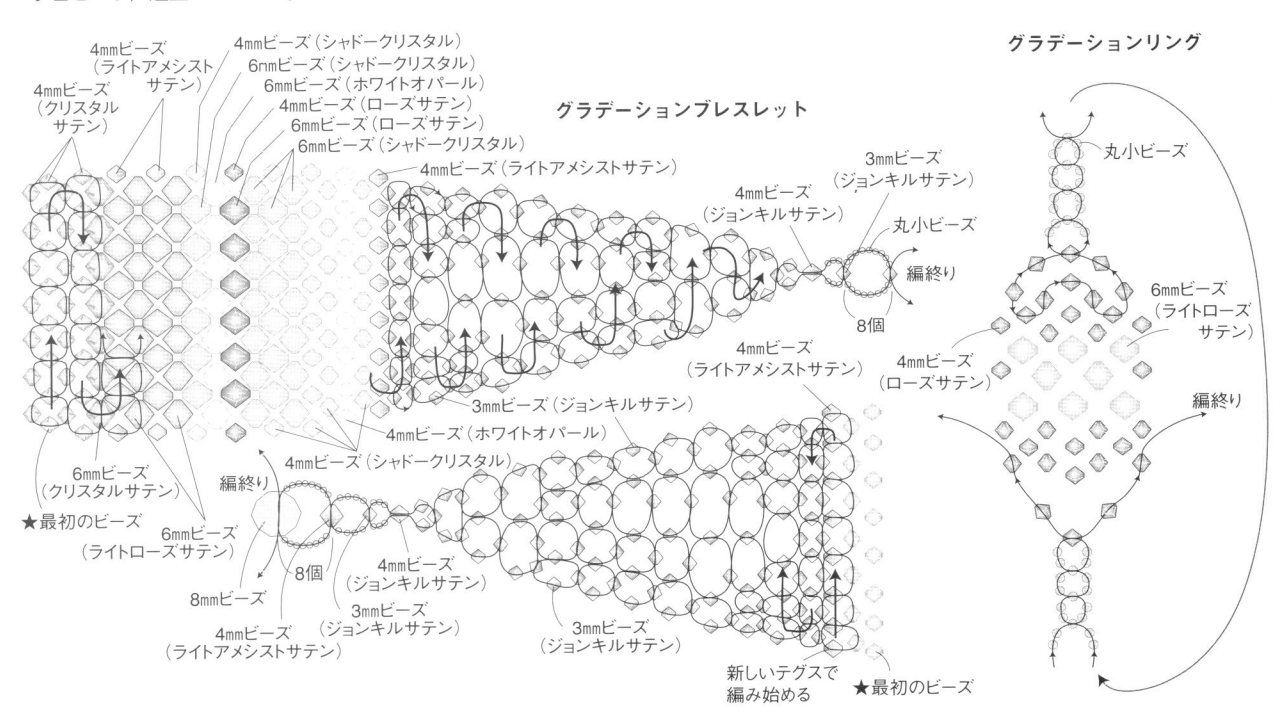

Pierced Earrings

写真 → p.17

フリルブレスレットのピアス　出来上がりサイズ＝長さ2.6cm
材料　スワロフスキー5301そろばん形ビーズ（シャドークリスタル）直径4mm40個、（ホワイトオパール）直径6mm14個、ガラス玉（つや消しグレー）直径4mm4個、（つや消しホワイト）直径4mm8個　ピアス用フック1組み　テグス3号70cm×2本

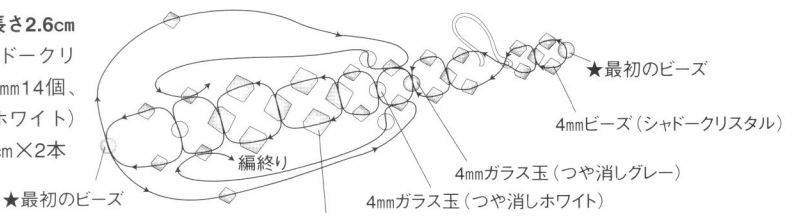

Frill Bracelet & Hilltop Ring

写真→ p.16、17

フリルブレスレット　出来上がりサイズ＝19×2.5cm
材料　スワロフスキー5301そろばん形ビーズ(シャドークリスタル)直径4mm360個、(ホワイトオパール)直径6mm15個　ガラス玉(つや消しグレー)直径4mm58個、(つや消しホワイト)直径4mm15個　スワロフスキー5233/4アーモンド形ビーズ(クリスタルマットフィニッシュ)16×8mm1個　丸小ビーズ(グレー)適宜　テグス3号適宜
作り方　最初のビーズから編み始め、図を参照して途中で目を増やしながら編んでいく。テグスが足りなくなったら、途中でいったん仕上げてから新しいテグスでビーズを拾って編み進める(→p.86)。とめ具は、新しいテグスを使ってつける。編終りの余ったテグスは、ビーズの中を何度も通して丈夫に仕上げる。

ヒルトップリング　出来上がりサイズ＝約10号
材料　スワロフスキー5301そろばん形ビーズ(シャドークリスタル)直径4mm32個、直径6mm8個　丸小ビーズ(グレー)適宜　テグス3号90cm
作り方　ヒルトップリング(→p.53)と同じ。

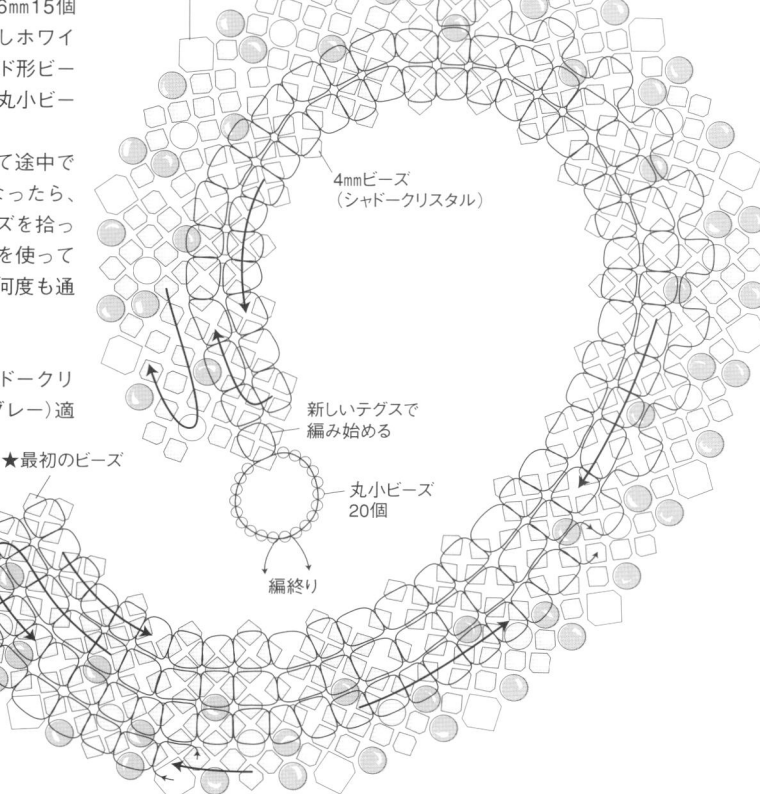

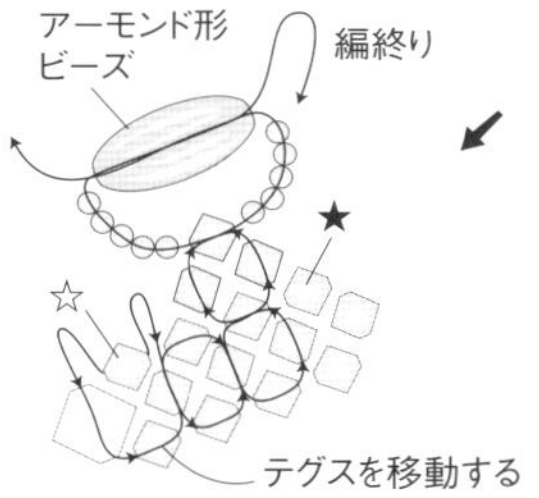

Baroque Pearl Ring

写真→ p.19

バロックパールのリング　出来上がりサイズ＝11号
ベージュ系の材料　バロックカラーパール(ベージュ)直径約6mm2個、(ベージュピンク)直径約5mm2個、(イエロー)直径約4mm2個　バロックパール(オレンジ)直径約5mm1個　ライスパール(ピンク)直径約5mm1個　スワロフスキー5301そろばん形ビーズ(ジョンキルサテン)直径3mm20個、直径4mm4個、(ライトコロラドトパーズサテン)直径3mm8個　スリーカットビーズ(薄グリーン)適宜　テグス2号50cm
グリーン系の材料　バロックカラーパール(モスグリーン)直径約7mm2個、(ブルーグレー)直径約6mm2個、(グリーン)直径約5mm2個、(イエロー)直径約4mm2個　スワロフスキー5301そろばん形ビーズ(アクアマリンサテン)直径3mm10個、直径4mm4個、(エリナイト)直径3mm18個　スリーカットビーズ(薄グリーン)適宜　テグス2号50cm

67

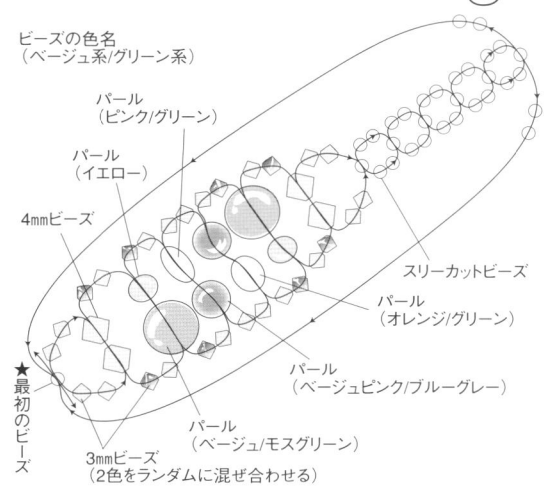

Baroque Pearl Cross Necklace

写真 → p.18、19

バロックパールのクロス　出来上りサイズ＝長さ6.5cm
ベージュ系の材料　バロックカラーパール(ベージュ)直径約6mm4個、(ベージュピンク)直径約5mm1個、(イエロー)直径約4mm4個　バロックパール(オレンジ)直径約5mm2個　ライスパール(ピンク)直径約5mm1個　スワロフスキー5301そろばん形ビーズ(ジョンキルサテン)直径3mm57個、直径4mm6個、直径6mm1個、(ライトコロラドトパーズサテン)直径3mm14個、スリーカットビーズ(薄グリーン)適宜　テグス2号80cm×2本(縦と横)、30cm(ループ)

グリーン系の材料　バロックカラーパール(モスグリーン)直径約7mm4個、(ブルーグレー)直径約6mm3個、(グリーン)直径約5mm3個、(イエロー)直径約4mm2個　スワロフスキー5301そろばん形ビーズ(アクアマリンサテン)直径3mm57個、(エリナイト)直径4mm6個、直径3mm14個、直径6mm1個　スリーカットビーズ(薄グリーン)適宜　テグス2号80cm(縦)＋80cm(横)＋30cm(ループ)

作り方　縦のラインの上から編み始め、下までいったらテグスを結んで、結び目をビーズの中に隠して編み戻って目立たない場所で切る。新たなテグスで図を参照して横のラインを作る。30cmのテグスでネックレスを通す輪を作る。輪のテグスは2回ビーズに通し、何度か違う場所で結んでから切るとしっかり出来上がる(→p.86)。

バロックパールのネックレス　出来上りサイズ＝長さ32.5〜36cm
材料　バロックカラーパール(ベージュ)直径約6mm7個、(イエロー)直径約4mm6個　バロックパール(オレンジ)直径約5mm5個　ライスパール(ピンク)直径約5mm6個　スワロフスキー5301そろばん形ビーズ(ジョンキルサテン)直径3mm42個、直径4mm3個　スワロフスキー5000丸形ビーズ(スモーキークォーツ)直径8mm1個　スリーカットビーズ(薄グリーン)適宜　テグス2号120cm、補強分40cm

グリーンネックレス　出来上りサイズ＝長さ37.5〜41cm
材料　スワロフスキー5301そろばん形ビーズ(アクアマリンサテン)直径3mm11個、直径4mm7個、(エリナイト)直径3mm12個、直径4mm6個　スワロフスキー5000丸形ビーズ(エリナイト)直径8mm1個　スリーカットビーズ(薄グリーン)適宜　テグス3号130cm、補強分40cm

＊ネックレスは、アジャスター部分から編み始め、最後まで編んだら、交差したテグスを全体の半分くらいまで編み戻り、1本ずつ5cm差をつけて切る。補強分のテグスは、最初のビーズから同じように通してアジャスター部分を補強し、全体の半分くらいまで通して1本ずつ5cm差をつけて切る。テグスの通っている本数が左右対称のバランスになるようにする。

アジャスターのとめ方

ビーズの穴の位置から調節部分の輪に通すとスムーズに入る

バロックパールのクロス

ビーズの色名（ベージュ系／グリーン系）
3mmビーズ
スリーカットビーズ
テグスは2重にする
★縦の最初のビーズ
3mmビーズ
パール(ベージュ/モスグリーン)
パール(オレンジ/グリーン)
4mmビーズ
6mmビーズ
横の編終り
★横の最初のビーズ
パール(イエロー)
パール(ピンク/グリーン)
パール(ピンク/ブルーグレー)
パール(ベージュピンク/ブルーグレー)
3mmビーズ
4mmビーズ
縦の編終り

バロックパールのネックレス
20個
パール(イエロー)
4mmビーズ
パール(ベージュ)
スリーカットビーズ
3mmビーズ
パール(オレンジ)
8個
8個
パール(ピンク)
編終り
8mmビーズ
3mmビーズ
4mmビーズ
20個

グリーンネックレス
★最初のビーズ
8個
8個
スリーカットビーズ
3mmビーズ
9個
8mmビーズ 編終り
4mmビーズ(アクアマリンサテン)
4mmビーズ(エリナイト)
30個
30個
4mmビーズ(エリナイト)

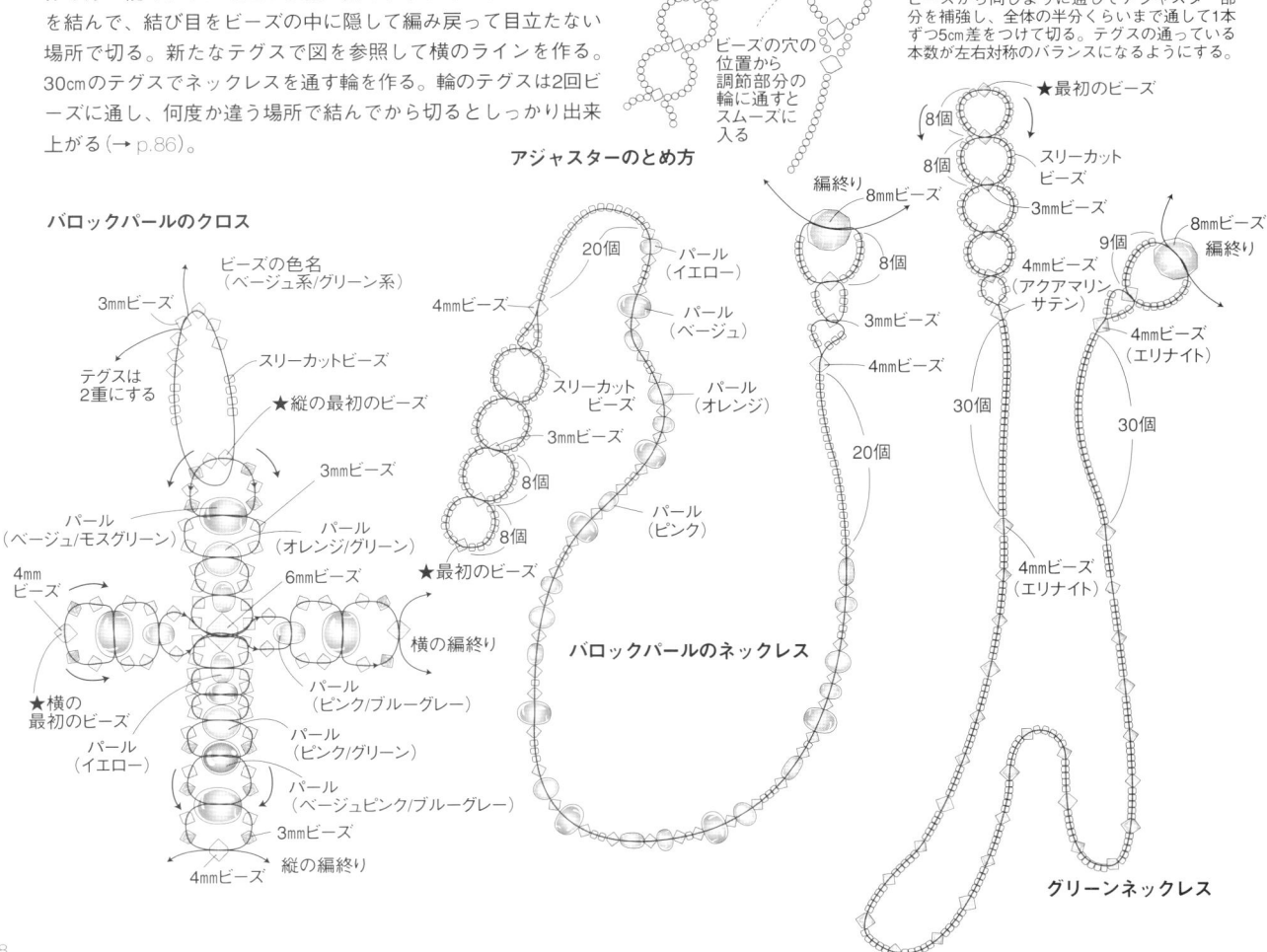

Spiral Pierced Earrings, Ball Pierced Earrings

写真 → p.20、21

p.20左上 ピアス 出来上りサイズ＝1.4cm
材料 天然石（ラブラドライト）直径約7mm8個 スワロフスキー5301そろばん形ビーズ（ブラックダイアモンド）直径3mm4個、直径4mm8個、（アクアマリンサテン）直径4mm4個、（タンザナイト）直径4mm4個 ピアス用フック1組み テグス2号40cm×2本

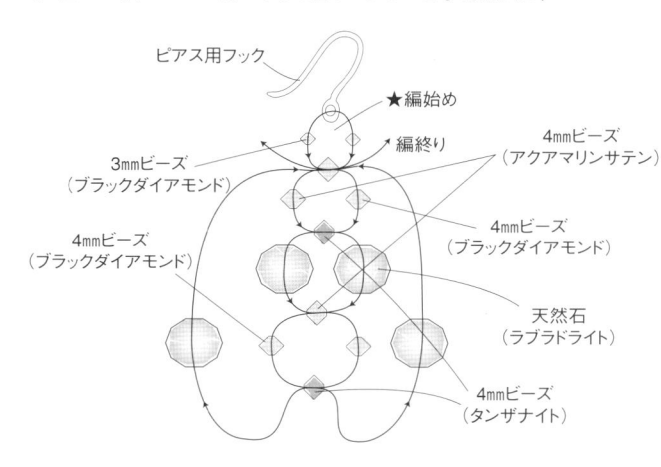

p.20右上 ピアス 出来上りサイズ＝2cm
材料 バロックパール（ピンク）直径約6mm8個 ライスパール（ピンク）長さ約5mm4個 スワロフスキー5301そろばん形ビーズ（ブラックダイアモンド）直径3mm24個、直径4mm8個 ピアス用フック1組み テグス2号60cm×2本

ピアスの作り方 テグスの中央にピアス用フックを通してから編み始める。図を参照して仕上げたら、編み戻ってテグスを途中で結び、結び目をビーズの中に隠してから切る（→p.86）。

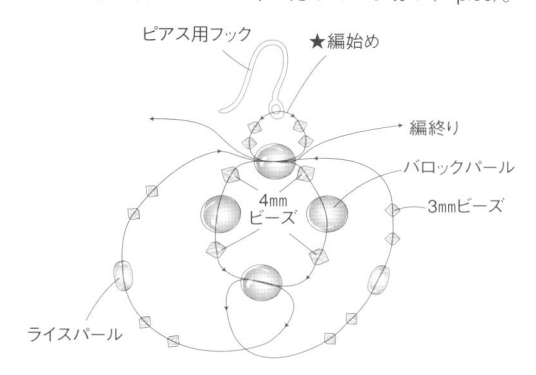

p.20左下 ピアス 出来上りサイズ＝3.2cm
材料 パールボール直径約1.2cm2個 ライスパール（ピンク）長さ約5mm2個 スワロフスキー5301そろばん形ビーズ（ブラックダイアモンド）直径3mm4個、直径4mm2個 スワロフスキー5000丸形ビーズ（ブラックダイアモンド）直径5mm2個 丸小ビーズ（グレー）12個 ピアス用フック1組み テグス2号40cm×2本

p.20右下 ピアス 出来上りサイズ＝2cm
材料 スワロフスキー5301そろばん形ビーズ（エリナイト）直径3mm16個、直径6mm8個、（インディコライト）直径3mm8個、直径4mm4個、（アクアマリンサテン）直径3mm8個、直径4mm4個 ピアス用フック1組み テグス2号60cm×2本

p.21右上、カバー（表）ピアス
出来上りサイズ＝2.7cm
材料 天然石（アマゾナイト）直径約6mm8個、（ローズクォーツ）カット形直径約4mm16個、丸形直径約4mm8個 スワロフスキー5301そろばん形ビーズ（アクアマリンサテン）直径3mm24個 ピアス用フック1組み テグス2号60cm×2本

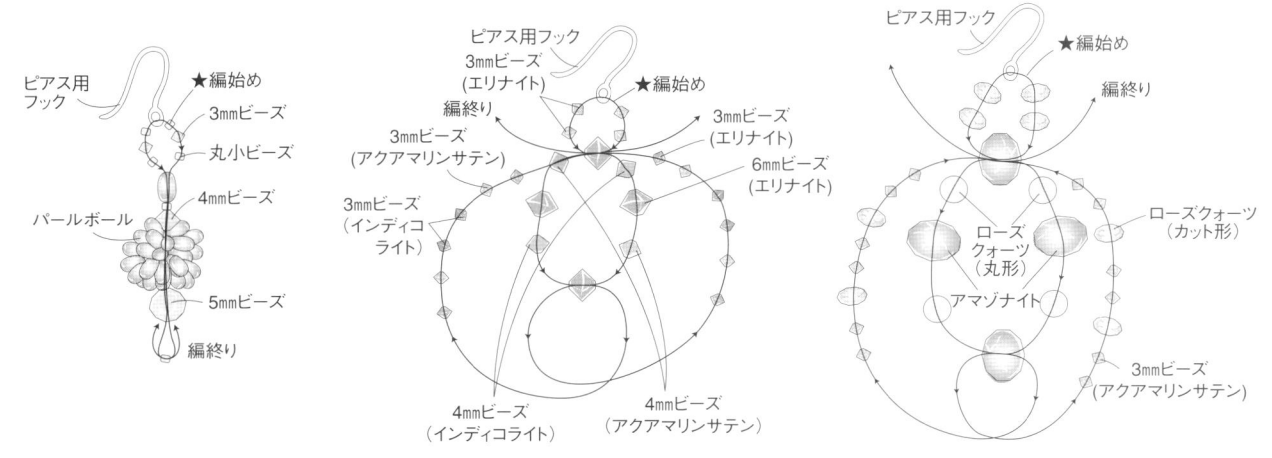

69

Snake Choker & Ring

写真→ p.22、23

スネークチョーカー(ベージュ)　出来上がりサイズ＝34.5〜35.5cm
材料　スワロフスキー5301そろばん形ビーズ(ライトコロラドトパーズ)直径4mm269個、直径3mm3個　スワロフスキー5000丸形ビーズ(トパーズ)直径8mm1個　丸小ビーズ(ベージュ)適宜　テグス3号適宜

スネークチョーカー(黒)　出来上がりサイズ＝35〜36.5cm
材料　スワロフスキー5301そろばん形ビーズ(ジェット)直径3mm322個　チェコファイアポリッシュ(ジェット)直径3mm8個　ガラスビーズ(黒)13×7mm1個　スリーカットビーズ(黒)適宜　テグス3号適宜

作り方　そろばん形ビーズの部分から編み始める。図を参照して3列編み終えたらテグスの位置を移動し、ネックレスのとめ具部分を作る。新たなテグスでもう一方のとめ具部分を作る。

スネークリング(ベージュまたは黒1個分)　出来上がりサイズ＝13号
材料　スワロフスキー5301そろばん形ビーズ(ライトコロラドトパーズまたはジェット)直径3mm62個　丸小ビーズ(ベージュまたは黒)適宜　テグス3号100cm

作り方　基本はネックレスと同じ。3列目まで編んだらテグスを移動してリングの裏側の部分を編み、反対側のビーズに通して出来上がり。余ったテグスは全体に何度も編み戻してしっかりと仕上げる。

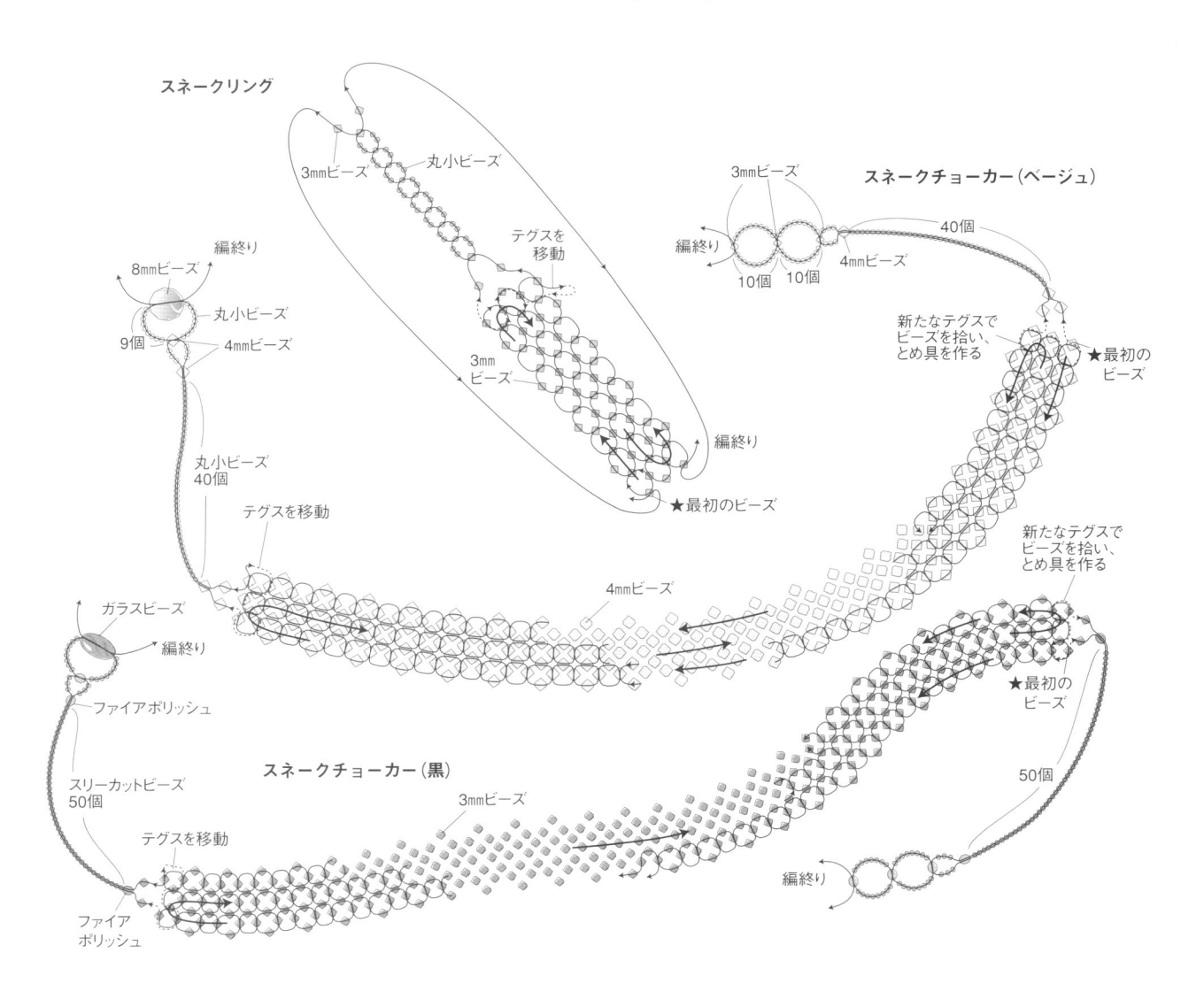

Camouflage Choker & Ring

写真 → p.24

カムフラージュチョーカー　出来上がりサイズ＝10.4×3cm
材料 スワロフスキー5301そろばん形ビーズ（ライトサファイア）直径4mm87個、（サファイアサテン）直径4mm79個、（ターコイズ）直径4mm57個、（タンザナイト）直径4mm28個、（アクアマリンサテン）直径4mm156個、（モンタナ）直径4mm85個　テグス3号適宜
作り方 色のバランスを考えて、ブレスレットの柄を少しくずしたイメージで作るので、少しビーズの色の位置が変わってもかまわない。柄がつながるように気をつけて色を編み込んでいく。最後の1段でつないで輪にする。間に通すひもの長さでチョーカー、ブレスレット、ベルトなどに使える。

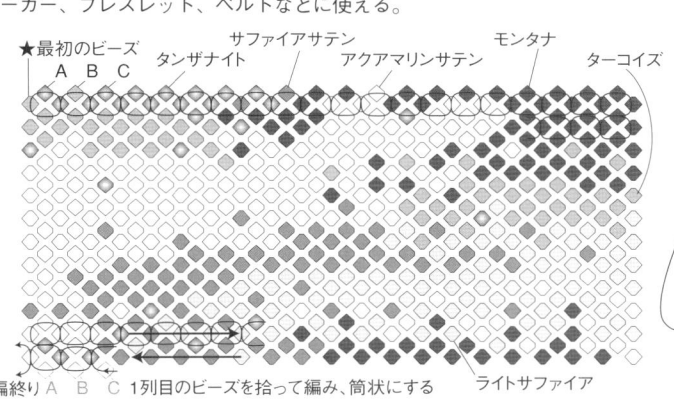

カムフラージュリング　出来上がりサイズ＝11号
材料 スワロフスキー5301そろばん形ビーズ（ライトサファイア）直径4mm16個、（サファイアサテン）直径4mm9個、（タンザナイト）直径4mm12個、（インディアンサファイア）直径4mm25個、（モンタナ）直径4mm12個　丸小ビーズ（ブルー系のグラデーション4色）適宜　テグス3号180cm

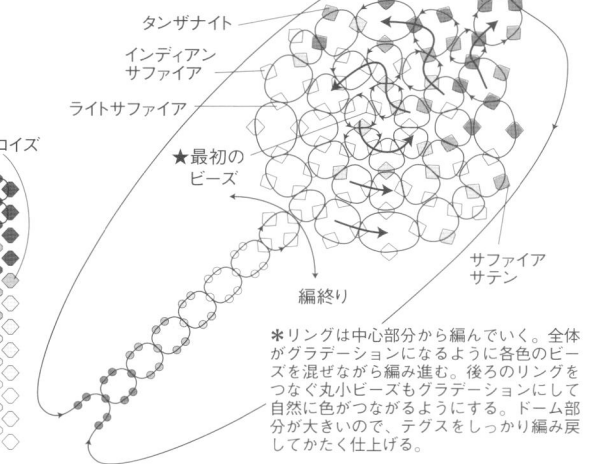

＊リングは中心部分から編んでいく。全体がグラデーションになるように各色のビーズを混ぜながら編み進む。後ろのリングをつなぐ丸小ビーズもグラデーションにして自然に色がつながるようにする。ドーム部分が大きいので、テグスをしっかり組み編み戻してかたく仕上げる。

Camouflage Bracelet

写真 → p.25

カムフラージュブレスレット　出来上がりサイズ＝17.5×5.8cm
材料 スワロフスキー5301そろばん形ビーズ（ジョンキルサテン）直径4mm193個、（ペリドットサテン）直径4mm132個、（グリーントルマリン）直径4mm92個、（トルマリン）直径4mm76個、（スモーキークォーツ）直径4mm101個、（オリビン）直径4mm56個、（ジョンキルサテン）直径3mm2個　ガラスビーズ（パープル）8×25mm1個　丸小ビーズ（オリーブグリーン）適宜　テグス3号適宜

作り方 中央の柄の部分から編み始める。四角いモチーフ（17列分）が出来上がったら、色がミックスになっているところを同じ幅で3列編み、4列目から両端を減らしながら編む。そのままとめ具を作り、テグスはブレスレットの中を何度も編み戻る。
ポイント テグスはあまり長いと作りにくいので、作りやすい長さ（120cm程度）で作り、足りなくなったらその場でテグスを編み戻して切り、新たなテグスで最後のビーズを拾って編み進むと作りやすい（→ p.86）。

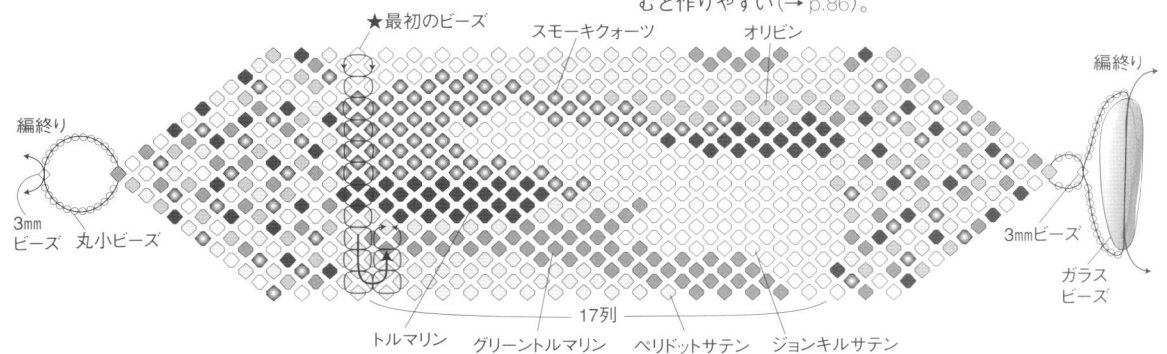

Coral Necklace & Ring

写真 → p.26

コーラルネックレス　出来上がりサイズ＝長さ32〜35cm
材料　大粒さんご（赤）直径12mm1個　淡水パール直径3mm1個　トルコ石2×10mm1個　ムーンストーン直径6mm1個　さんご（赤）直径約3mm135個、直径1mm強262個　ガラス玉（赤）直径4mm8個　チェコファイアポリッシュ（シャム）直径3mm6個　ガラス玉（赤）直径7〜8mm1個　丸小ビーズ（赤、オレンジ系3色）適宜　テグス2号280cm＋40cm、補強分50cm
作り方　ネックレスのとめ具から編み始める。とめ具部分は力がかかるのでビーズだけで色をミックスして作る。さんごは割れやすいので、注意して編んでいく。ネックレスが出来上がったら、一度テグスを編み戻して切る。中央のフリンジ部分をネックレスのさんごで編んだ部分の中を通してテグスを結び、またさんごの中に編み戻してから目立たない場所で切る（小さいさんごは特に割れやすいので、同じ大きさのビーズで作ってもいい）。

コーラルリング　出来上がりサイズ＝14号
材料　さんご（赤とピンクを合わせて）直径3mm58個、（赤とピンクを合わせて）直径1mm強 98個　テグス2号110cm
作り方　さんごは赤とピンクを混ぜて使う。中央から編み始め、図を参照して2段目を編み、テグスの位置を移動してからリングの裏側を編む。編み終わったテグスは結んで、さんごの中を編み戻してから切る。

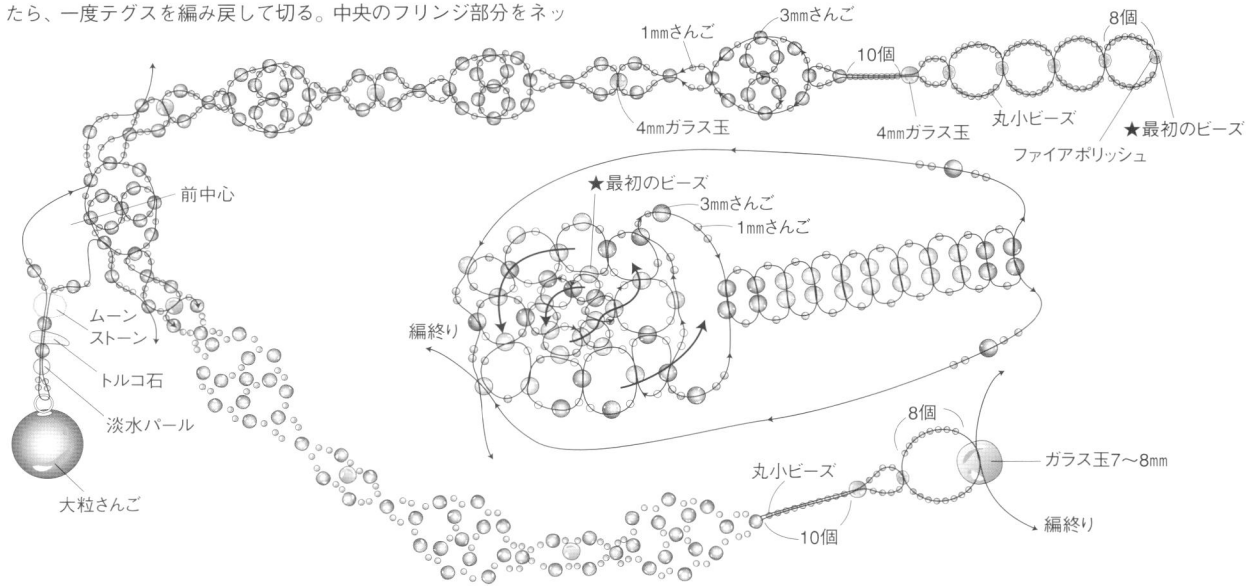

Turquoise Bag

写真 → p.27

ターコイズバッグ　出来上がりサイズ＝高さ4cm、口の直径3.5cm
材料　トルコ石直径4mm36個　チェコファイアポリッシュ（水色）直径4mm12個、（グリーン）直径4mm20個　丸小ビーズ（ブルー）40個　テグス3号180cm
作り方　底からぐるぐると編んでいく。図を参照して3段目まで編んだら、片方のテグスでグリーンのビーズを拾いながら間にトルコ石を入れていく。1周したら、もう一度テグスを周囲のビーズに通してからバッグの持ち手を作る。反対側で持ち手をつないだら、テグスはバッグの中を編み戻してから切る。

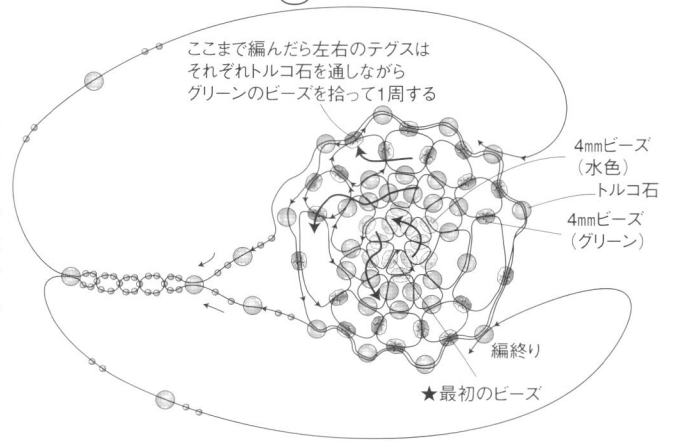

Turquoise Shoes & Coral Shoes

写真 → p.27

ターコイズローファー　出来上りサイズ＝長さ4.3cm

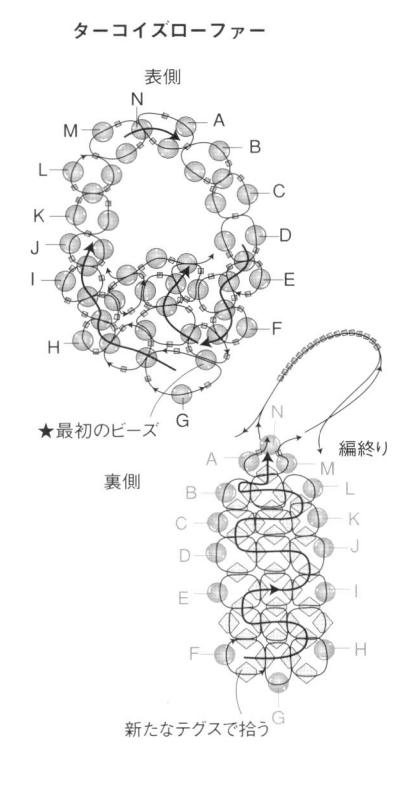

材料　スワロフスキー5301そろばん形ビーズ（ターコイズ）直径4mm32個、トルコ石直径4mm44個　スリーカットビーズ（グリーン）適宜　テグス3号110cm×2本

作り方　靴の表側から編んでいく。表が編み上がったら、テグスを編み戻して切る。靴の裏側を図のように表側の端のビーズを拾いながら、うめるように編んでいく。編み終わったテグスはそのままネックレスを通す部分を作ってから、靴の中に編み戻して切る。

コーラルローファー　出来上りサイズ＝長さ4.2cm

材料　さんご（赤）直径約3.5mm58個、直径約3mm70個、直径1mm強44個　テグス2号110cm×2本

作り方　靴の表側から編んでいく。編み終わったら裏側を図を参照して編み、チェーンを通す部分を作り、テグスを編み戻す。さんごは割れやすいので、注意して扱う。

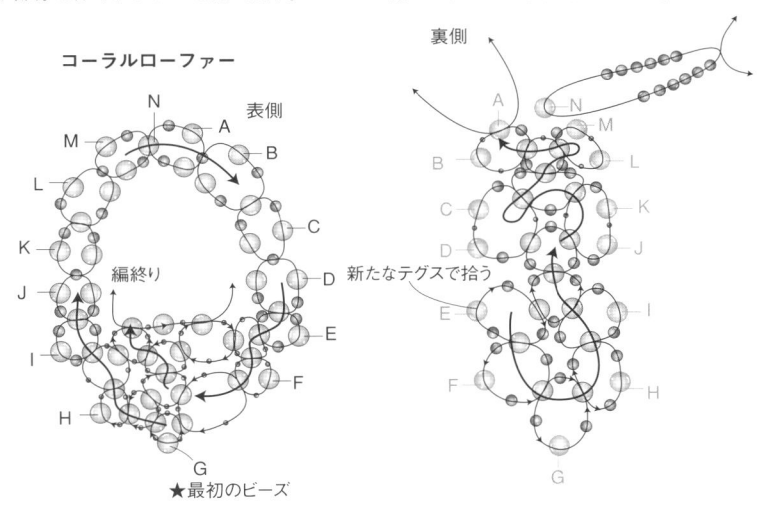

Framing Ring

写真 → p.28左上の奥

グリーンフレーミングリング　出来上りサイズ＝8号

材料　スワロフスキー4470菱形クリスタルストーン（エリナイト）12mm角1個　スワロフスキー5301そろばん形ビーズ（エリナイト）直径3mm93個　テグス3号160cm

作り方　最初のビーズから編み始め、1列編んだら輪にして1列目を拾いながら2列目を編む。編み終わる前に、クリスタルをセットして、フレームをとじる。テグスを移動したら、リングの裏側のチェーンを編む。

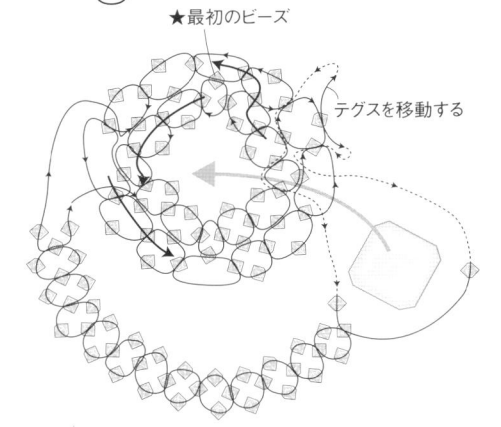

Framing Ring & Necklace

写真→p.28、29

ホワイトオパールペンダントトップ　出来上がりサイズ＝2.5cm
材料　スワロフスキー6400菱形ビーズ（クリスタル）14mm角1個　スワロフスキー5301そろばん形ビーズ（ホワイトオパール）直径4mm52個　丸小ビーズ（つや消しクリスタル）20個　テグス3号140cm

フロストペンダントトップ　出来上がりサイズ＝4.5×2.5cm
材料　スワロフスキー6100しずく形ビーズ（クリスタル）34×20mm1個　チェコファイアポリッシュ（つや消しクリスタル）直径3mm94個　丸小ビーズ（つや消しクリスタル）22個　テグス3号180cm

グレーペンダントトップ　出来上がりサイズ＝2.8×4.8cm
材料　スワロフスキー6100しずく形ビーズ（クリスタル）34×20mm1個　スワロフスキー5301そろばん形ビーズ（シャドークリスタル）直径4mm100個　テグス3号180cm

フロストフレーミングリング　出来上がりサイズ＝10号
材料　スワロフスキー4565長方形クリスタルストーン（クリスタル）18×13mm1個　チェコファイアポリッシュ（つや消しクリスタル）直径3mm97個　テグス3号180cm

グラデーションペンダントトップ　出来上がりサイズ＝1.9×3.5cm
材料　スワロフスキー6100しずく形ビーズ（オーシャンブルーまたはテレナムまたはエアーオパール）24×12mm1個　スワロフスキー5301そろばん形ビーズ（アクアマリンサテンまたはトパーズまたはクリスタル）直径3mm98個　テグス3号100cm

フレーミングチョーカー　出来上がりサイズ＝32～36cm
＊図は右ページ。
材料　スワロフスキー6400菱形ビーズ（クリスタル）23mm角1個　スワロフスキー5301そろばん形ビーズ（クリスタル）直径3mm5個、（ホワイトオパール）直径5mm16個、直径4mm71個　スワロフスキー5000丸形ビーズ（クリスタル）直径8mm1個　丸小ビーズ適宜　テグス3号180cm＋80cm×2本

作り方　ネックレスの中央から作る。4mmと5mmのそろばん形ビーズで大きいクリスタルを囲むように編んだら、テグスを編み戻してから切る。新たなテグスで両脇のネックレス部分を作る。

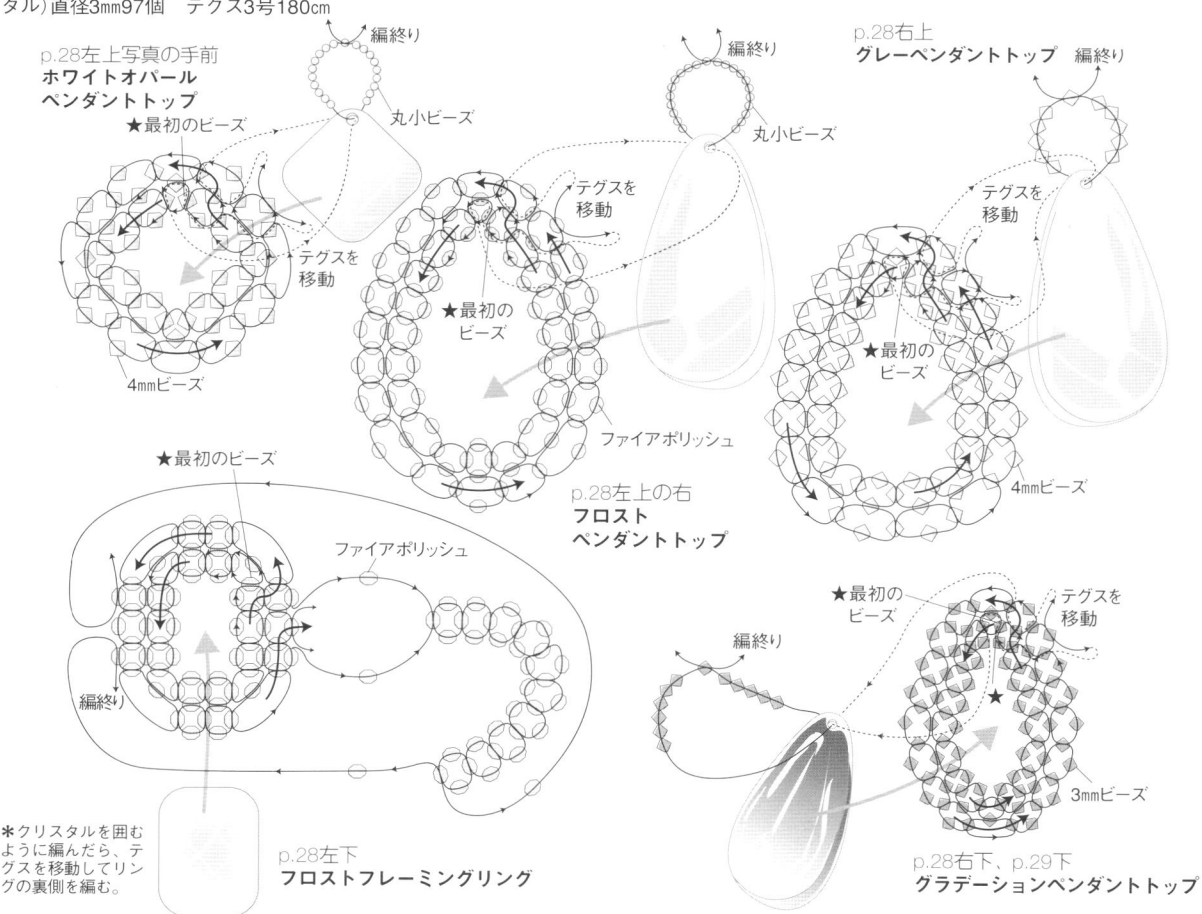

Black Lacy Choker, Bracelet & Ring

写真 → p.30、31

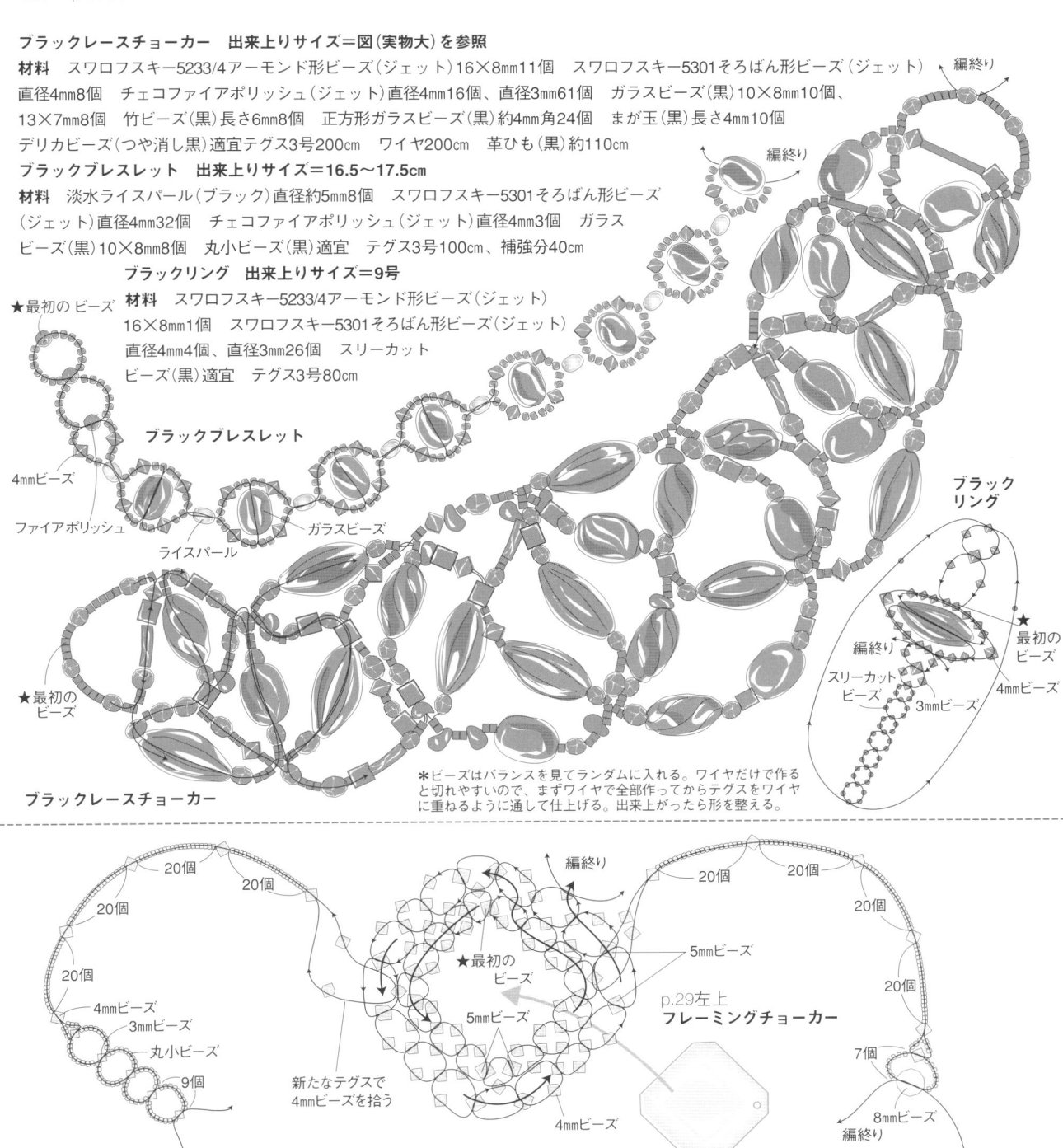

ブラックレースチョーカー　出来上がりサイズ＝図（実物大）を参照
材料　スワロフスキー5233/4アーモンド形ビーズ（ジェット）16×8mm11個　スワロフスキー5301そろばん形ビーズ（ジェット）直径4mm8個　チェコファイアポリッシュ（ジェット）直径4mm16個、直径3mm61個　ガラスビーズ（黒）10×8mm10個、13×7mm8個　竹ビーズ（黒）長さ6mm8個　正方形ガラスビーズ（黒）約4mm角24個　まが玉（黒）長さ4mm10個　デリカビーズ（つや消し黒）適宜　テグス3号200cm　ワイヤ200cm　革ひも（黒）約110cm

ブラックブレスレット　出来上がりサイズ＝16.5～17.5cm
材料　淡水ライスパール（ブラック）直径約5mm8個　スワロフスキー5301そろばん形ビーズ（ジェット）直径4mm32個　チェコファイアポリッシュ（ジェット）直径4mm3個　ガラスビーズ（黒）10×8mm8個　丸小ビーズ（黒）適宜　テグス3号100cm、補強分40cm

ブラックリング　出来上がりサイズ＝9号
材料　スワロフスキー5233/4アーモンド形ビーズ（ジェット）16×8mm1個　スワロフスキー5301そろばん形ビーズ（ジェット）直径4mm4個、直径3mm26個　スリーカットビーズ（黒）適宜　テグス3号80cm

＊ビーズはバランスを見てランダムに入れる。ワイヤだけで作ると切れやすいので、まずワイヤで全部作ってからテグスをワイヤに重ねるように通して仕上げる。出来上がったら形を整える。

Mini Bag

写真 → p.32

ミニバッグ　出来上がりサイズ＝高さ4cm、口の直径約3cm

材料　スワロフスキー5301そろばん形ビーズ（ホワイトオパール）直径4mm37個　天然石（ローズクォーツ）直径4mm18個　ガラス玉（ピンク縞入り）直径4mm20個　丸小ビーズ（ピンク）適宜　テグス3号180cm

作り方　底からぐるぐると編んでいく。1段目はローズクォーツ、2段目はホワイトオパール、3段目はガラス玉で編んだら、片方のテグスでガラス玉を拾いながら間にホワイトオパールを入れていく。1周したら、もう一度テグスを周囲のビーズに通してからバッグの持ち手を作る。反対側で持ち手をつないだら、テグスはバッグの中を編み戻してから切る。

チェーン　出来上がりサイズ＝18.5cm

材料　スワロフスキー5301そろばん形ビーズ（ホワイトオパール）直径4mm9個、（クリスタル）直径3mm3個　天然石（ローズクォーツ）直径4mm8個　ガラスビーズ（透明）13×7mm1個　丸小ビーズ（ピンク）適宜　テグス3号90cm

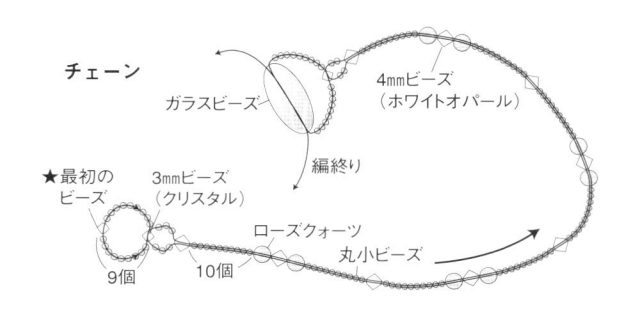

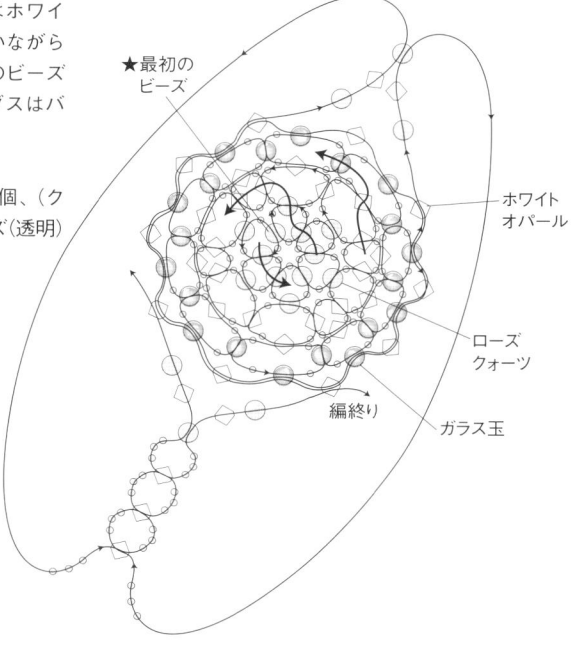

Aqua Ring

写真 → p.34、35

アクアリング　出来上がりサイズ＝11号

材料　スワロフスキー5301そろばん形ビーズ（ホワイトオパール）直径4mm3個、（エリナイト）直径4mm3個、（ライトサファイア）直径4mm4個、（ライトアゾレ）直径4mm4個　さざれ形天然石（ブルートパーズ）15個　さざれ形天然石（アパタイト）9個　丸小ビーズ（薄グリーン）適宜　テグス3号90cm

作り方　そろばん形ビーズとふぞろいな天然石は、バランスを見ながら混ぜ合わせて使う。その間に丸小ビーズを入れながら、編んでいく。

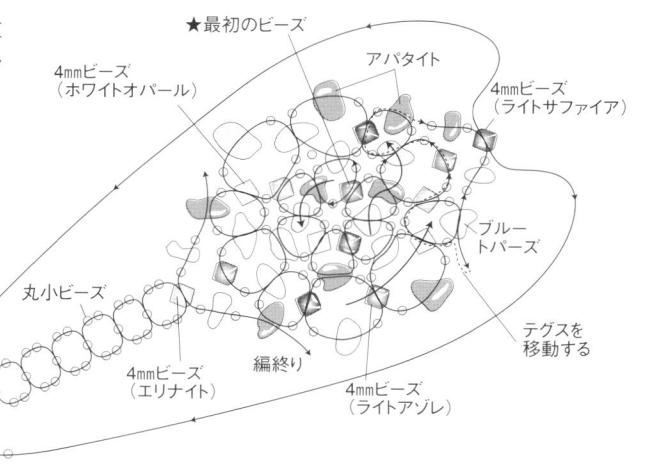

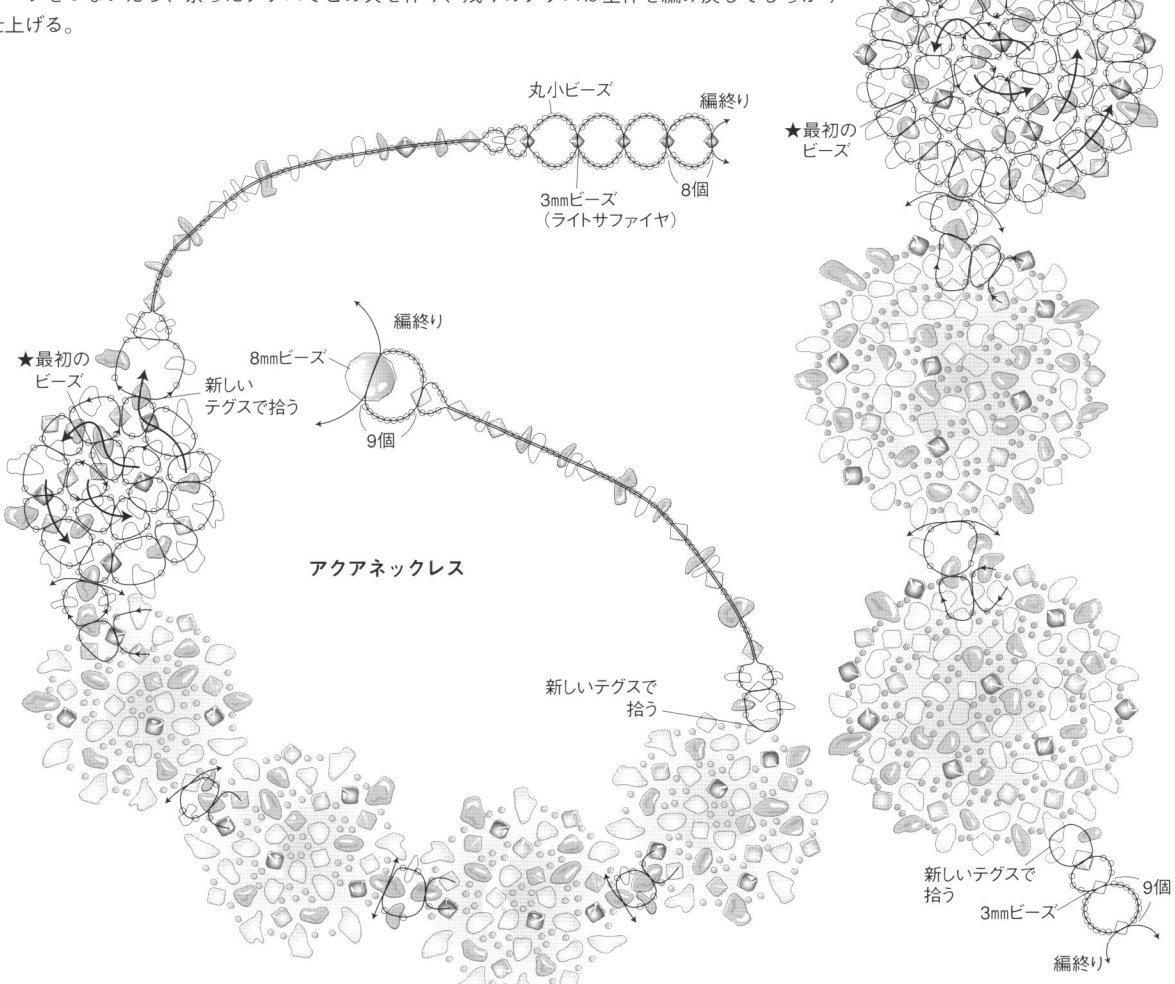

Aqua Necklace & Bracelet

写真 → p.34、35

アクアネックレス　出来上がりサイズ＝38～41.5cm

材料　スワロフスキー5301そろばん形ビーズ（ホワイトオパール）直径4mm19個、（エリナイト）直径4mm19個、（ライトサファイア）直径4mm23個、直径3mm5個、（ライトアゾレ）直径4mm20個　スワロフスキー5000丸形ビーズ（エリナイト）直径8mm1個　さざれ形天然石（ブルートパーズ）約91個　さざれ形天然石（アパタイト）約61個　丸小ビーズ（薄グリーン）適宜　テグス3号90cm×5本、100cm×2本

作り方　ビーズや天然石を混ぜて、丸いモチーフを5個作る。出来上がったら図を参照して、間に天然石と丸小ビーズを入れてつなげる。新たなテグスでネックレス部分やとめ具を作る。丈夫に仕上げるために、余ったテグスは全体がしっかりするまで編み戻してから切る。

アクアブレスレット　出来上がりサイズ＝17cm

材料　スワロフスキー5301そろばん形ビーズ（ホワイトオパール）直径4mm15個、（エリナイト）直径4mm29個、（ライトサファイア）直径4mm24個、直径3mm2個、（ライトアゾレ）直径4mm19個　スワロフスキー5233/4アーモンド形ビーズ（グリーン）16×8mm1個　さざれ形天然石（ブルートパーズ）116個　さざれ形天然石（アパタイト）約60個　丸小ビーズ（薄グリーン）適宜　テグス3号190cm×3本

作り方　ネックレスと同じモチーフを作り、もう1段回りを編んで丸いモチーフを3個作る。3個のモチーフをつないだら、余ったテグスでとめ具を作り、残りのテグスは全体を編み戻してしっかりと仕上げる。

77

White-mixed Necklace & Bracelet

写真 → p.36、37

フロストモチーフチョーカー　出来上りサイズ＝32～35.5cm
材料　チェコファイアポリッシュ（つや消しクリスタル）直径4mm 71個　スワロフスキー5000丸形ビーズ（クリスタル）直径4mm14個、直径8mm1個　まが玉（透明）長さ4mm5個　丸小ビーズ（つや消し）適宜　テグス3号210cm、補強分50cm

パールミックスブレスレット　出来上りサイズ＝18～19cm
材料　チェコファイアポリッシュ（つや消しクリスタル）直径4mm 12個　スワロフスキー5301そろばん形ビーズ（ホワイトオパール）直径4mm14個　スワロフスキー5000丸形ビーズ（クリスタル）直径4mm17個、直径8mm1個　まが玉（透明）長さ4mm3個　淡水パール直径4mm21個　貝ビーズ直径4mm10個　ガラス玉（乳白色）直径4mm12個　丸小ビーズ（つや消し）適宜　テグス3号200cm、補強分40cm

パールミックスネックレス　出来上りサイズ＝39～43cm
材料　チェコファイアポリッシュ（つや消しクリスタル）直径4mm12個、（乳白色）直径8mm1個　スワロフスキー5301そろばん形ビーズ（ホワイトオパール）直径4mm15個　スワロフスキー5000丸形ビーズ（クリスタル）直径4mm26個、直径8mm1個　まが玉（透明）長さ4mm5個　ガラス玉（乳白色）直径4mm8個　淡水パール直径4mm12個　キャッツアイ（ホワイト）直径4mm8個　貝ビーズ直径4mm7個　ムーンストーン4×7mm2個　丸小ビーズ（つや消し2色）適宜　テグス3号240cm、補強分50cm

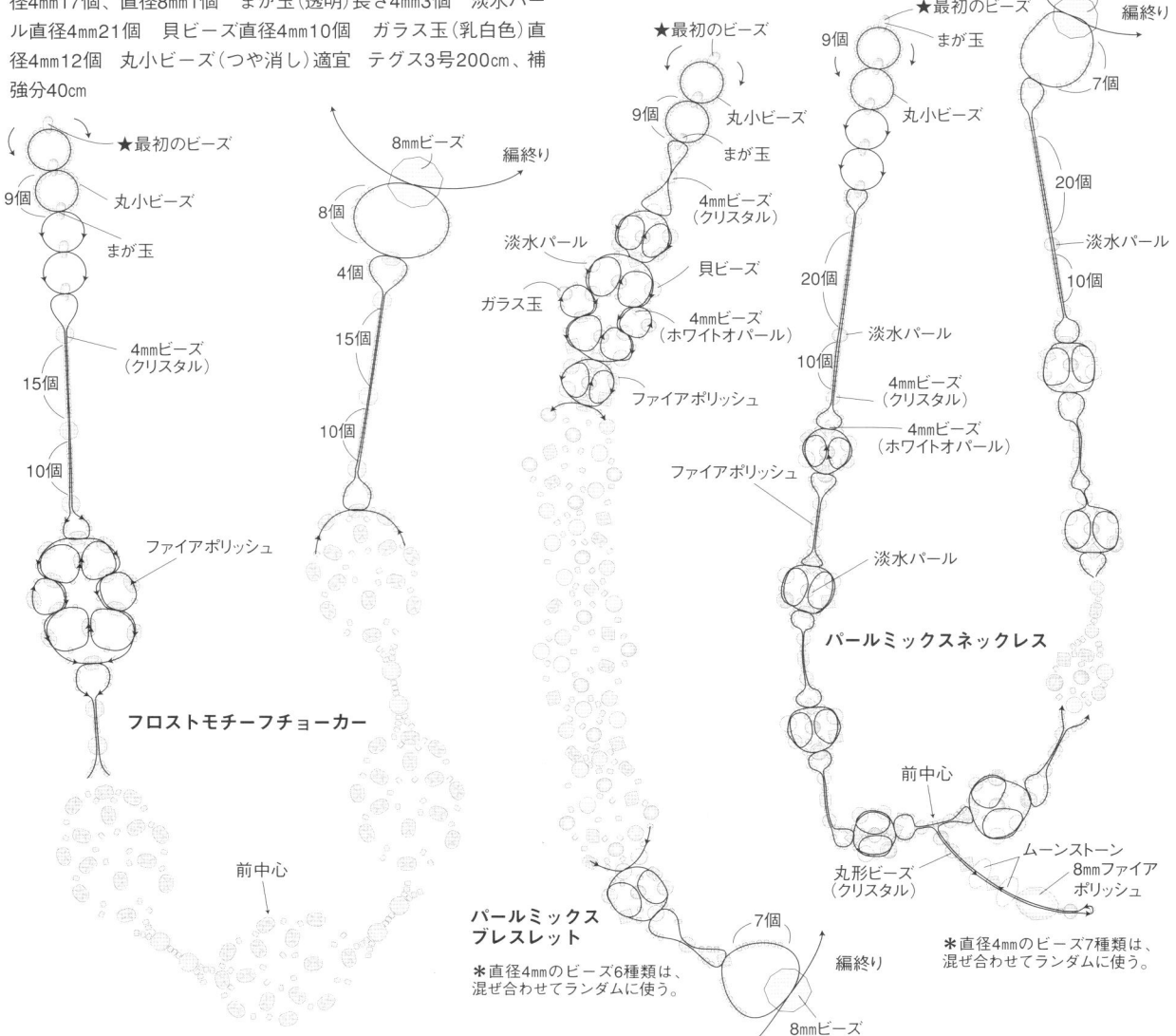

フロストモチーフチョーカー

パールミックスブレスレット
＊直径4mmのビーズ6種類は、混ぜ合わせてランダムに使う。

パールミックスネックレス
＊直径4mmのビーズ7種類は、混ぜ合わせてランダムに使う。

Wedding Jewelry

写真 → p.38

ウェディングチョーカー　出来上がりサイズ＝35cm
材料　チェコファイアポリッシュ（つや消しクリスタル）直径4mm24個、直径3mm165個、（乳白色）直径8mm1個　まが玉（透明）長さ4mm3個　淡水しずく形パール約4×6mm10個　丸小ビーズ（つや消しホワイト）適宜　テグス3号350cm、補強分50cm
作り方　とめ具部分の輪から編み始める。図を参照して片端にしずく形のパールを入れながら編む。

フラワー（大）　出来上がりサイズ＝直径約6〜6.5cm
材料　チェコファイアポリッシュ（つや消しクリスタル）直径3mm198個＋71個　淡水しずく形パール約4×6mm19個　淡水パール直径約4mm21個　丸小ビーズ（つや消し）適宜　テグス3号適宜

フラワー（小）　出来上がりサイズ＝直径約3.5cm
材料　チェコファイアポリッシュ（つや消しクリスタル）直径3mm80個＋98個＋花心1個　淡水しずく形パール約4×6mm5個　淡水パール直径約4mm22個　丸小ビーズ（つや消しホワイト）適宜　テグス3号適宜

フラワーの作り方　大小のフラワーとも2枚の花びらをそれぞれ仕上げたら、新たなテグスで花心を作り、花びらをまとめる。テグスは大きな花びらの中に編み戻し、リングにもなる部分を作る。パールは少し控えめのほうがかわいく仕上がる。

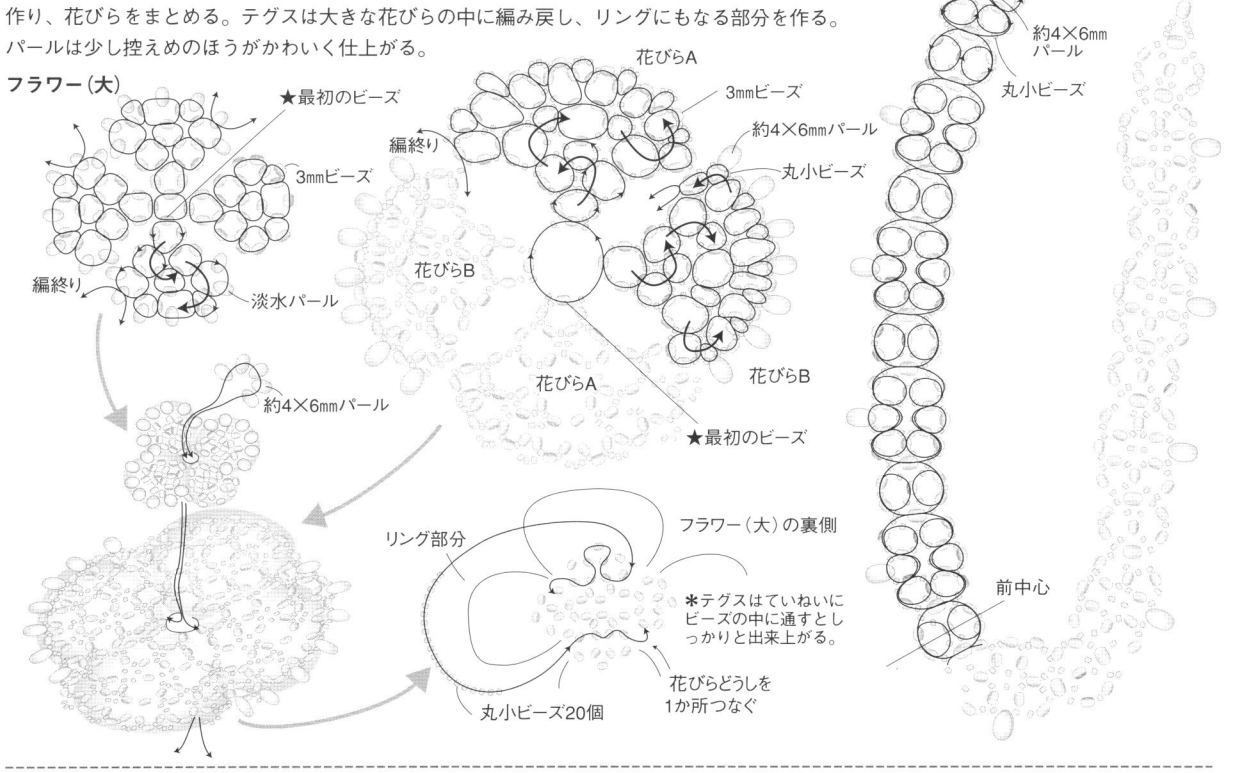

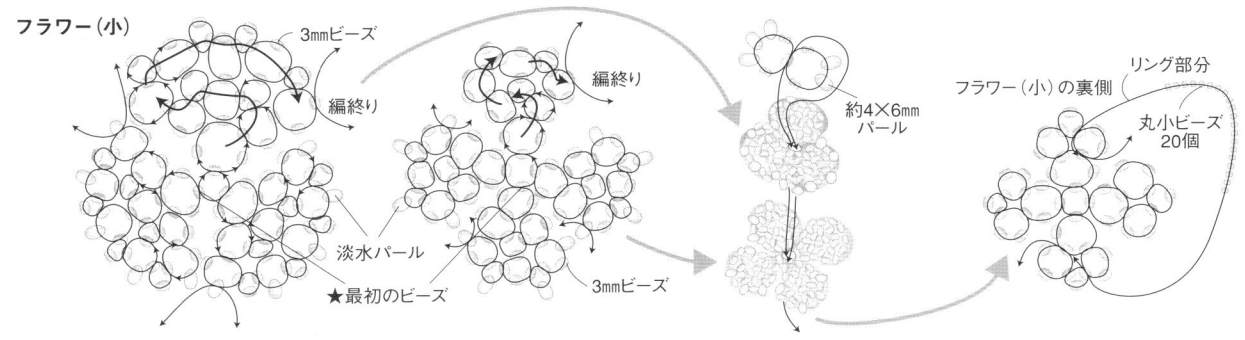

Pearl Ball Necklace, Bracelet & Pierced Earrings

写真 → p.40

パールボールネックレス　出来上りサイズ＝34～37cm
材料　パールボール（ピンク）直径約12mm5個　淡水ライスパール（ピンク）直径約4mm8個　スワロフスキー5000丸形ビーズ（ライトコロラドトパーズ）直径5mm3個、直径6mm10個、直径7mm1個　チェコファイアポリッシュ（ブラウン）直径3mm5個　丸小ビーズ（ピンク）適宜　テグス3号150cm、補強分40cm

パールボールブレスレット　出来上りサイズ＝18.5～19.5cm
材料　パールボール（ピンク）直径約12mm4個　淡水ライスパール（ピンク）直径約4mm5個　スワロフスキー5000丸形ビーズ（ライトコロラドトパーズ）直径4mm1個、直径5mm8個、直径7mm1個　チェコファイアポリッシュ（ブラウン）直径3mm3個　丸小ビーズ（ピンク）適宜　テグス3号100cm、補強分30cm

パールボールピアス　出来上りサイズ＝長さ5cm
材料　パールボール（ピンク）直径約12mm2個　淡水ライスパール（ピンク）直径約4mm8個　スワロフスキー5000丸形ビーズ（ライトコロラドトパーズ）直径4mm6個、直径6mm4個　スワロフスキー5301そろばん形ビーズ（ライトコロラドトパーズ）直径8mm2個　丸小ビーズ（ピンク）適宜　ピアス用フック1組み　テグス3号80cm×2本

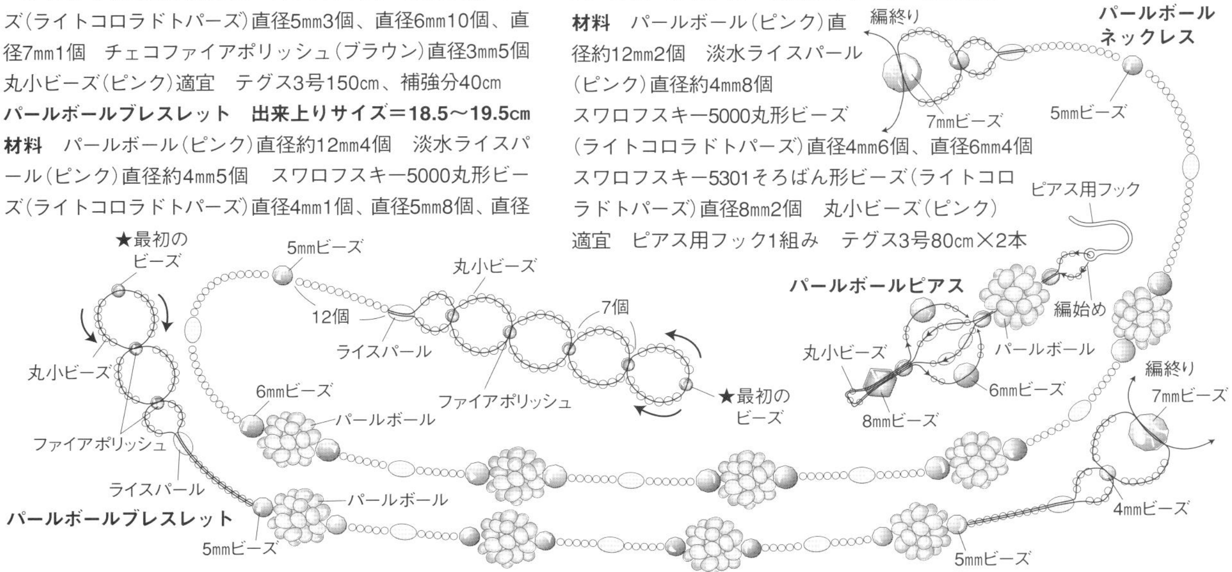

Frilled flower Brooch

写真 → p.41

フリルフラワーのブローチ　出来上りサイズ＝直径約6.5cm
材料　チェコファイアポリッシュ（つや消しオーロラトパーズ）直径4mm203個、（トパーズ）直径3mm63個、直径4mm184個　チェコファイアポリッシュ（トパーズ）直径4mm26個、（ライトブルー）直径4mm14個、（ライトパープル）直径4mm42個　ハニーストーン直径4mm57個　しずく形ビーズ（トパーズ）長さ7mm15個　まが玉長さ4mm24個　アメシスト約21×17mm1個　丸小ビーズ（つや消しトパーズ）適宜　ブローチ用シャワー金具（ドーナッツ形）直径4.7mm1セット　テグス3号適宜

作り方　1枚目の花びらAは、5個の3mmビーズで輪を作って編んでいく。途中で4mmビーズにして増し目をすることで、波打つようなシルエットが出来上がっていく。最後の段にしずく形のビーズを入れる。2枚目の花びらBは丸小ビーズを使い、ライトブルーやパープルの色をランダムに入れて編んでいく。最後の段でまが玉をアクセントに使う。3枚目の花びらは2枚目の最初のビーズを拾って、2枚目と同じように編む。出来上がったらシャワー台に止めつけて、中心にアメシストをつける。

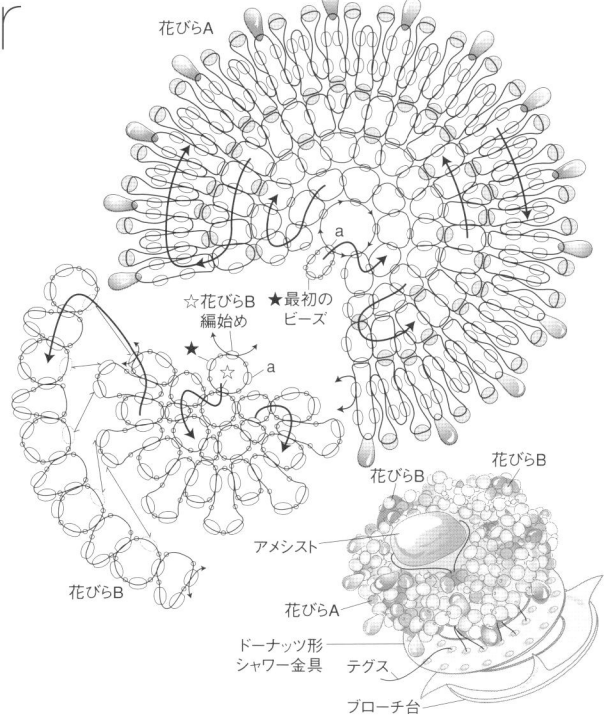

Little Bugs

写真 → p.42、43

蝶　出来上りサイズ＝縦約8cm、横約9cm

材料　スワロフスキー5301そろばん形ビーズ（クリスタル）直径3mm84個、直径4mm44個、（ホワイトオパール）直径4mm98個、直径6mm14個　スワロフスキー6000しずく形カットビーズ（クリスタル）11×5.5mm2個　まが玉長さ4mm2個　さざれ形天然石（クリアクォーツ）約10個　丸小ビーズ（つや消しホワイト）適宜　テグス3号140cm×5本（上の羽、下の羽、胴体）

作り方　図を参照して上の羽2枚、下の羽2枚を編む。蝶の胴体を編んだら、残ったテグスを1模様編み戻して触覚にするので、頭の上に出してから3〜4cm残して切る。上の羽は3mmビーズを両方のテグスに通してから体につける。下の羽は片方に3mmビーズを通してから体につける。テグスがビーズの中を通らなくなるので、反対側の羽の中に編み戻して、しっかりさせてから切るといい。

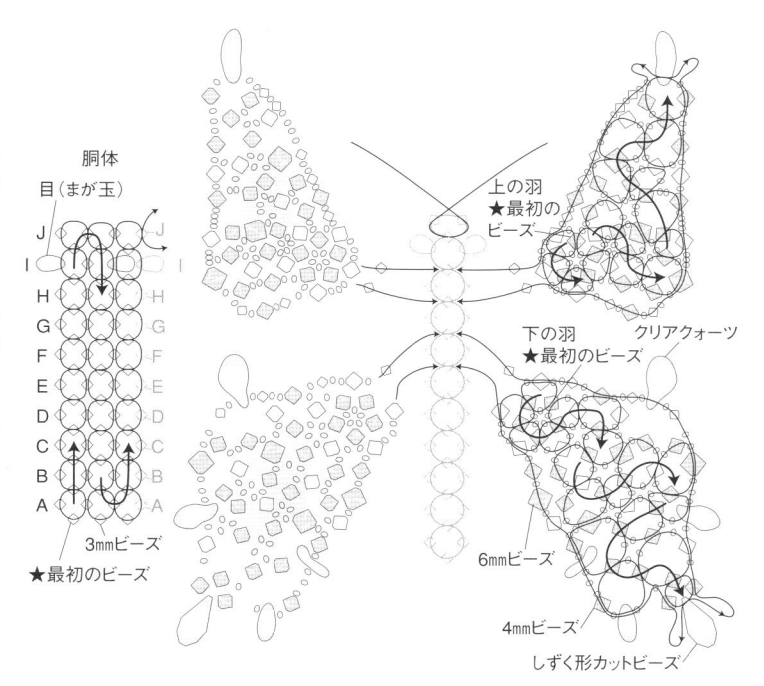

せみ　出来上りサイズ＝長さ5cm

材料　胴体分＝スワロフスキー5301そろばん形ビーズ（エリナイト）直径4mm8個、（グリーントルマリン）直径4mm15個、（トルマリン）直径4mm27個、（クリソライト）直径4mm2個、（ペリドットサテン）直径4mm2個、（ライム）直径4mm3個、（オリビン）直径4mm2個　羽分＝スワロフスキー5301そろばん形ビーズ（エリナイト）直径3mm92個、（ライトサファイア）直径3mm15個、（ジョンキルサテン）直径3mm13個、（アクアマリンサテン）直径3mm9個、（クリスタル）直径3mm15個　まが玉（グリーン）長さ4mm2個　テグス3号90cm（胴体）＋80cm×2本（羽）

作り方　せみの体の表側から編んでいく。図を参照して編み上がったら裏返して、表のビーズを拾いながら裏を編む。羽は5色の3mmビーズをランダムに混ぜ合わせて、図のように2枚編む。そのままだとまだやわらかいので、テグスを何度も羽全体に編み戻してしっかりさせる。仕上がったら、最初のビーズの横にテグスを出し、せみの体につける。片方のテグスはもう一方の羽のビーズにつなげ、編み戻してから切る。

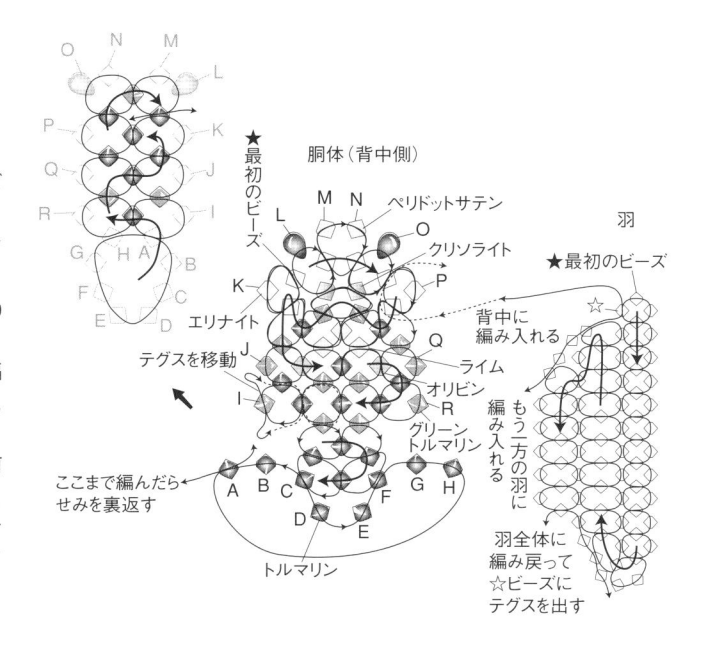

Little Bugs

写真→p.43

かみきり虫　出来上がりサイズ＝3.3cm（胴体）
材料　スワロフスキー5301そろばん形ビーズ（ライトサファイア）直径4mm3個、直径3mm1個、（タンザナイト）直径4mm14個、直径3mm34個、（ジェット）直径4mm5個、直径3mm2個、（ブラックダイアモンド）直径3mm4個　丸小ビーズ（グレー、パープル、ライトブルー）適宜　テグス3号90cm　ワイヤ適宜（触覚、足分）
作り方　胴体のおしりから図を参照して編んでいく。触覚はワイヤを頭のジェットのビーズに通し、3色の丸小ビーズをランダムに混ぜ合わせて作る。続けて左右の足も3本ずつ作り、すべてが作り終わったら、ワイヤを足の根元で数回巻いてから目立たない場所で切る。

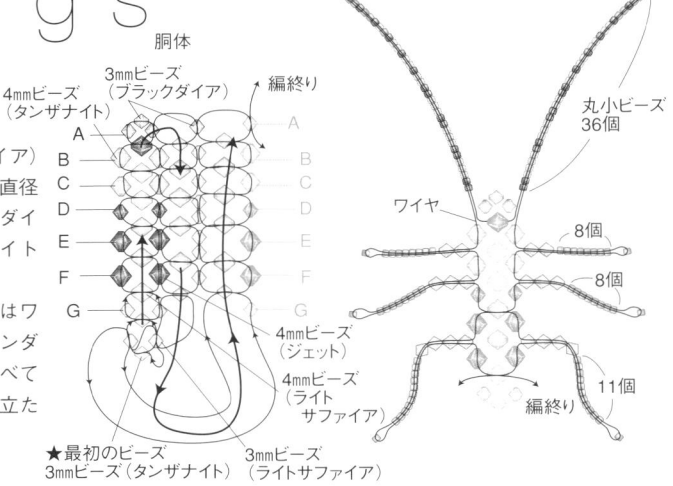

Symphonic Orchestra

写真→p.46

バイオリン　出来上がりサイズ＝長さ8cm
材料　スワロフスキー5301そろばん形ビーズ（トパーズ）直径4mm192個、（スモークトパーズ）直径4mm9個、直径3mm97個　スワロフスキー6202ハート形ビーズ（トパーズ）10.3×10mm1個　スワロフスキー6100しずく形ビーズ（エアーオパール）24×12mm2個　丸小ビーズ（ブラウン）18個　テグス2号、3号各適宜
作り方　本体の後面を編み（1）、次に模様を入れて前面を編む（2）。2枚は側面のビーズを足しながらつなげ（3）、すべてをとじる前にしずく形ビーズを2個入れて、本体の形を整える。前面下の弦をつける部分を編み、本体につける（4）。上部は側面を2本作り（5）、中心を編みながら側面ととじ合わせたら（6）、本体後面にテグスを編み入れ、前面はテグスでとじつける。上部のビーズにテグスを通して弦を巻く部分を作り（7）、4本のテグスはそのまま弦にする。途中でハートのビーズに2本のみテグスを通して下の部分につなげる。残りの2本のテグスはハートのくぼみにかけるだけ。ハートのビーズはバイオリン本体のくぼみに立てかけるだけなので、ブローチなどにする場合は、接着剤でつけるといい。細かいパーツはテグスが通りにくくなるので、本体以外は2号のテグスで作る。

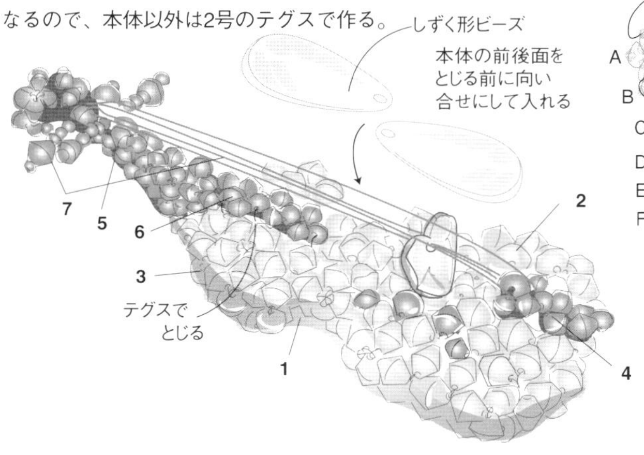

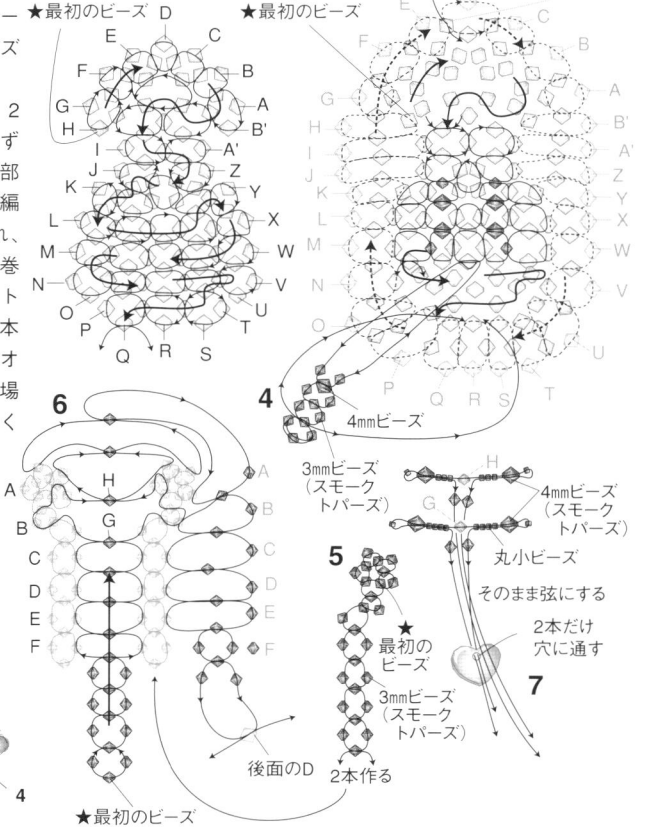

Eiffel Tower

写真→ p.44

エッフェル塔　出来上りサイズ＝高さ9cm

材料　スワロフスキー5301そろばん形ビーズ（クリスタル）直径3mm30個、（シャドークリスタル）直径4mm28個、（インディアンサファイア）直径4mm12個、（アクアマリンサテン）直径3mm64個、直径4mm14個、（サファイアサテン）直径4mm50個、（モンタナ）直径3mm296個、直径4mm72個、（ダークサファイア）直径4mm52個　テグス3号適宜

作り方　塔の最上部から作り始める。クリスタルから少しずつ色がグラデーションになり、濃くなっていく。テグスをしっかりと引き締めながら、ぐるぐると10段編む（**1**）。脚を編み始めるために4分割したら（**2**）、脚の1本を編んでいく（**3**）。途中まで脚を編んだらお互いにはしごを渡してつなげる（**4**）。4本がつながったら**3**のビーズを拾い、すべての脚を下まで編み終える（**5**）。塔の側面のアーチ形になった部分を編み（**6**）、上のはしご部分とつなげる。外側と内側の両方作ったら、最後にアーチの下側を**6**で編んだビーズを拾いながら編む（**7**）。形が出来上がったら、余ったテグスをビーズの中に編み戻してしっかりと仕上げる。

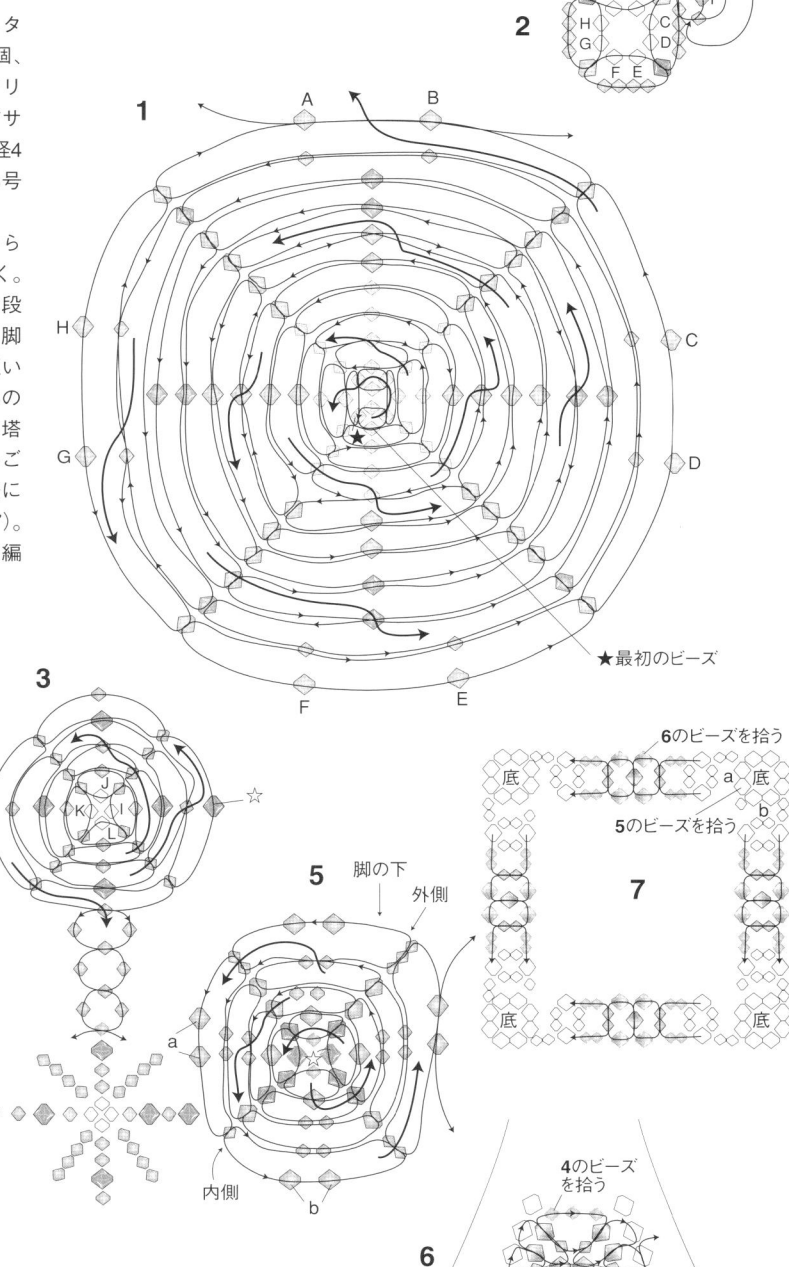

Symphonic Orchestra

写真→p.46、47

ホルン 出来上がりサイズ＝約6cm

材料 スワロフスキー5301そろばん形ビーズ（ライトコロラドトパーズ）直径4mm93個、直径3mm351個、（ライトコロラドトパーズサテン）直径3mm24個 テグス3号適宜

作り方 ホルンを二つのパーツに分けて、ラッパの部分（**1**）から作り始める。図を参照して細い部分からラッパの広がる部分を編む。残ったテグスでラッパのビーズの中を編み戻り、形を整える。細い部分のビーズを拾いながら、細い管の部分（**2**）をカーブがつくように編み、口の部分まで編む。形を整えて管の部分を4か所ほど止めつけて仕上げる。

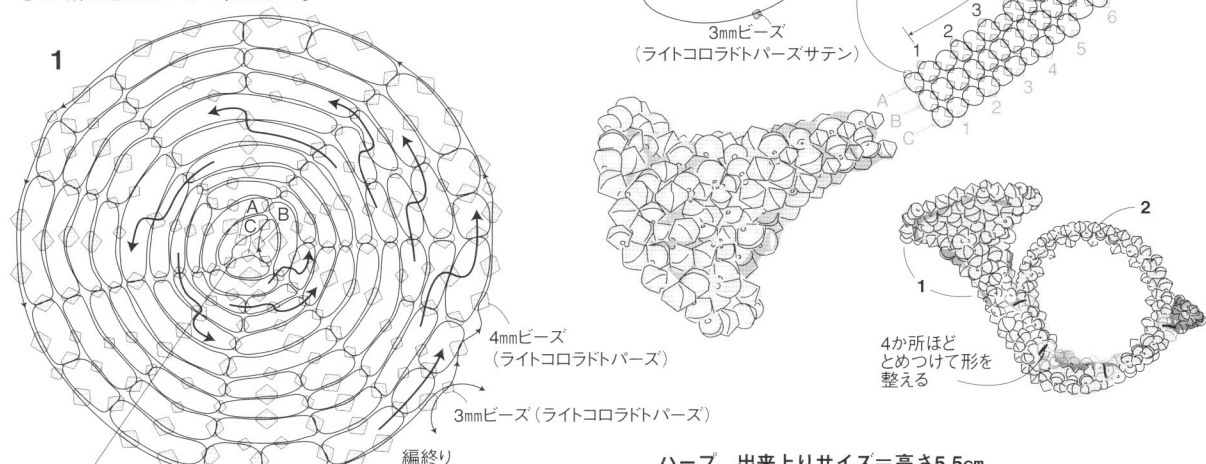

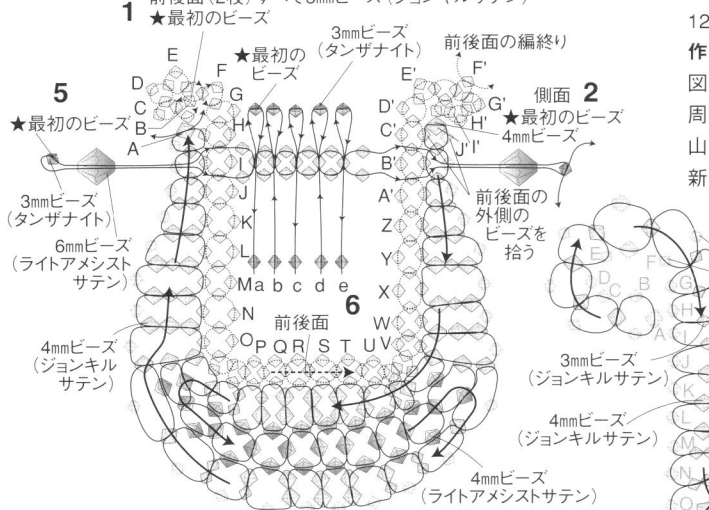

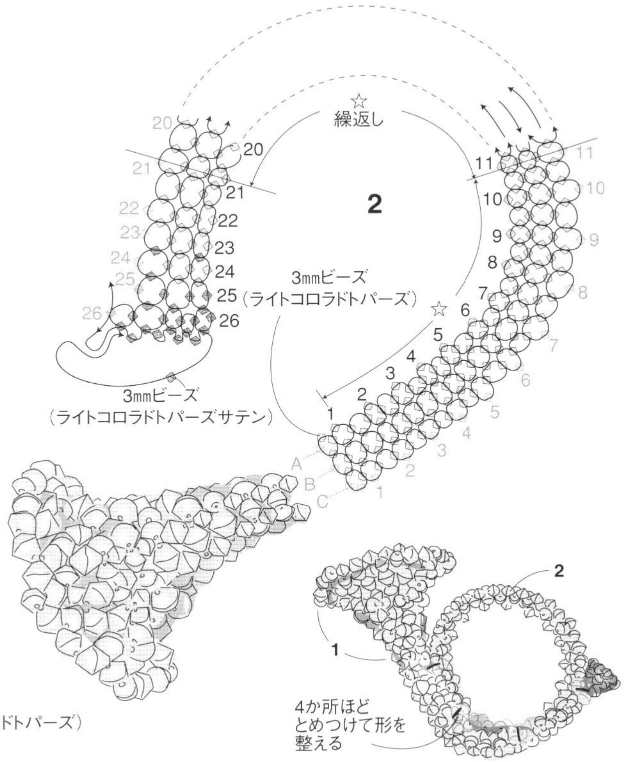

ハープ 出来上がりサイズ＝高さ5.5cm

材料 スワロフスキー5301そろばん形ビーズ（ジョンキルサテン）直径4mm80個、直径3mm259個、（ライトアメシストサテン）直径6mm2個、直径4mm39個、（タンザナイト）直径4mm5個、直径3mm12個、（アメシスト）直径3mm8個 テグス3号適宜

作り方 ハープの前後面（点線のテグスの部分）を2枚編み（**1**）、図を参照して前後面の外側のビーズを拾いながら側面を編む（**2**）。周囲がつなげたら、内側もつなげる（**3**）。内側に3色のビーズで山を作る（**4**）。6mmビーズを使って横の棒に当たる部分を作り（**5**）、新たなテグスで弦を作っていく（**6**）。

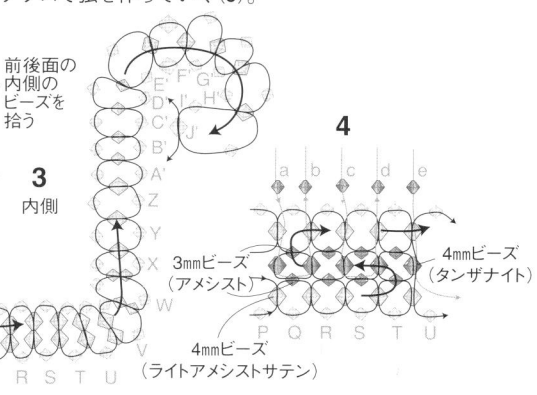

Silent Night

写真 → p.48、49

クリスマスツリー（大）　出来上りサイズ＝高さ6.8cm

材料　スワロフスキー5301そろばん形ビーズ（クリスタル）直径3mm17個、（エリナイト）直径3mm64個、直径4mm44個、直径6mm12個、（ペリドットサテン）直径4mm52個、（グリーントルマリン）直径4mm80個、直径6mm24個、（トルマリン）直径4mm60個、（オリビン）直径6mm8個、（ホワイトオパール）直径6mm13個　スワロフスキー6100しずく形ビーズ（エアーオパール）24×12mm1個　まが玉（グリーン）長さ4mm44個　テグス3号適宜

作り方　4段のツリーをしずく形のビーズでつり上げてテグスをトップに持っていき、6mmビーズの中に通して回りを3mmビーズで飾りつける。残ったテグスはツリーの中に編み戻す。いちばん下のツリーに重みがかかるため、念入りにテグスを編み戻してしっかりと仕上げる。

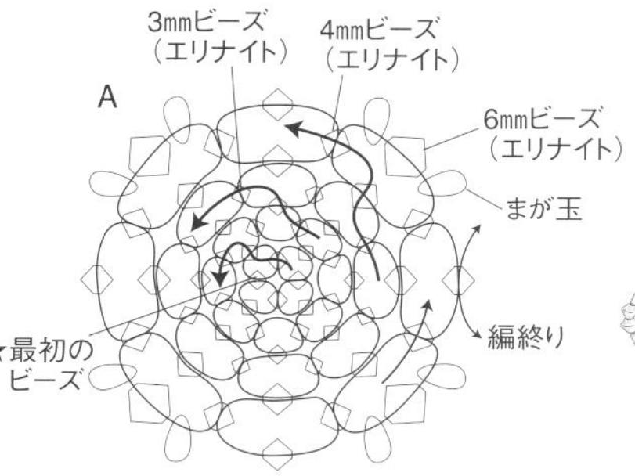

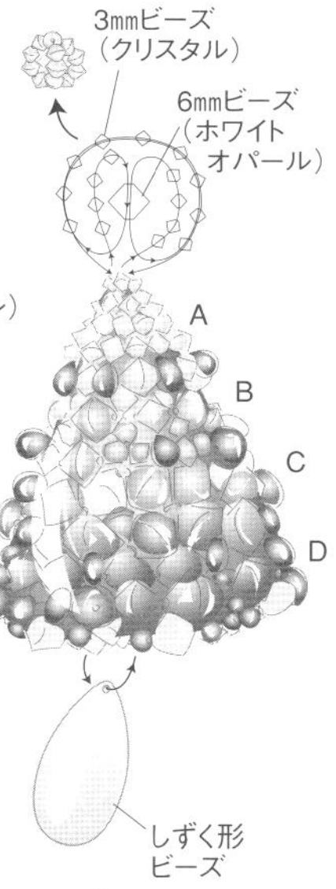

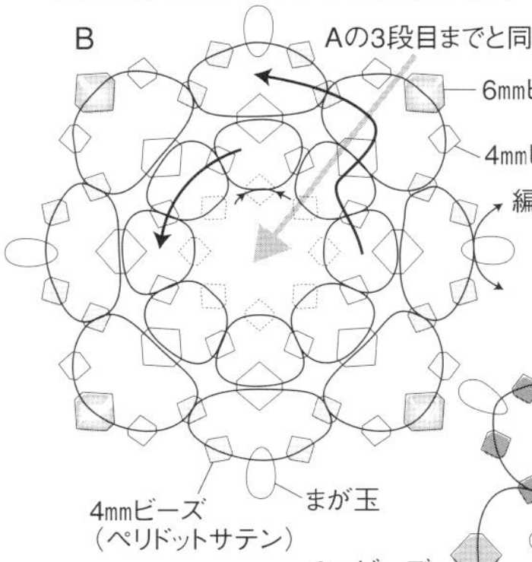

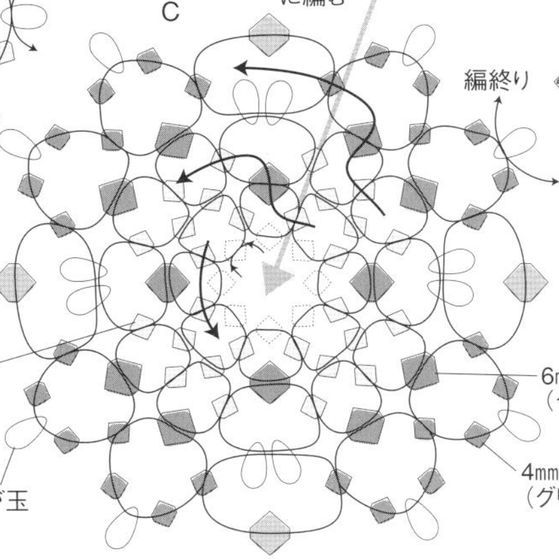

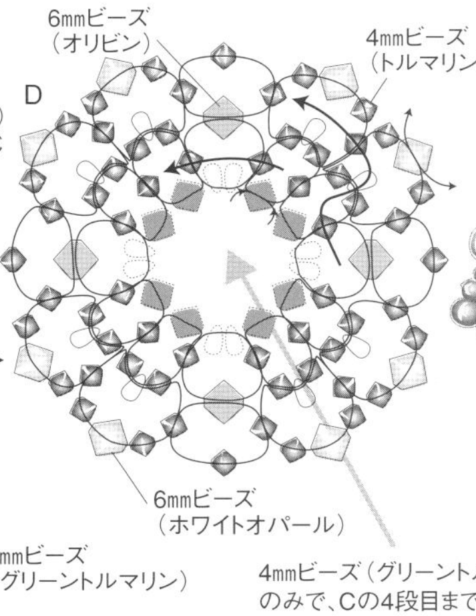

クリスマスツリー（小）　出来上りサイズ＝高さ5.3cm

材料　スワロフスキー5301そろばん形ビーズ（エリナイト）直径3mm72個、直径4mm4個、（ペリドットサテン）直径3mm32個、直径4mm32個、（グリーントルマリン）直径4mm32個、（トルマリン）直径4mm36個　スワロフスキー6100しずく形ビーズ（エアーオパール）24×12mm1個　まが玉（透明）長さ4mm29個　テグス3号適宜

作り方　ツリーの上段から編み始める。図を参照して中段、下段を編んだら、しずく形のビーズで3個のツリーを重ねてつり上げる。トップはまが玉で輪を作り、テグスはツリーの中を編み戻ってしっかりと仕上げる。

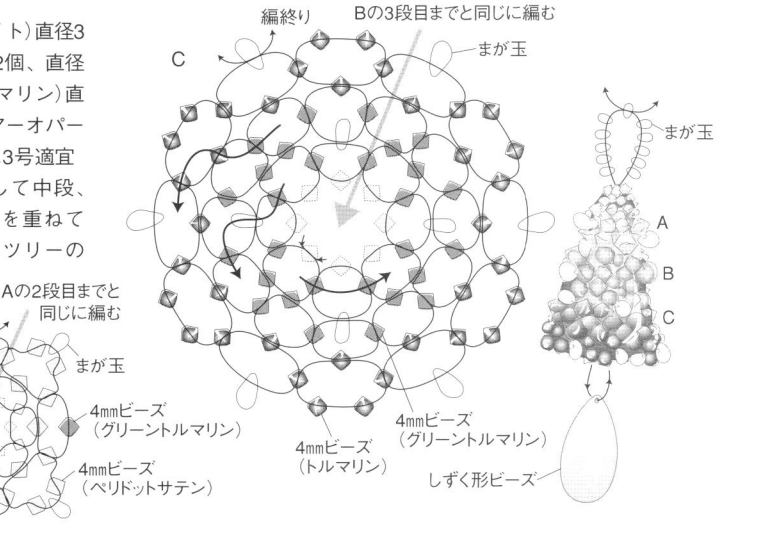

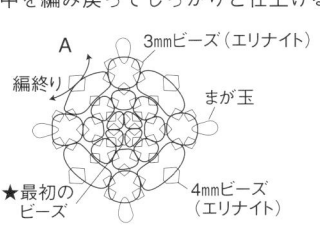

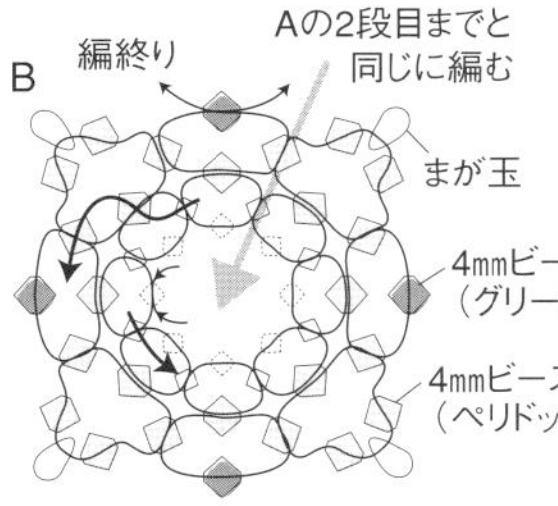

Gift Box

写真→p.10、11、48　参考テクニック→p.56(角形)、58(円形)

A p.10 ホワイトオパールボックス
材料 スワロフスキー5301そろばん形ビーズ(ホワイトオパール)直径4mm160個(本体)、(アクアマリンサテン)直径4mm32個、直径3mm30個(リボン)、(クリスタル)直径3mm10個(ループ)　テグス3号適宜

作り方 p.56と同じサイズ。ボックスが出来上がったら、角にチェーンを通すループを3mmビーズ10個で作る。好みのチェーンを通す。

B p.11 チョークホワイトボックス、p.48 ルビーボックス
材料 スワロフスキー5301そろばん形ビーズ(チョークホワイトまたはルビー)直径4mm84個(本体)、(モンタナまたはタンザナイト)直径4mm25個、直径3mm26個(リボン)　テグス3号適宜

作り方 p.56より1回り小さいサイズ。参考テクニックと違うところは、側面は1段目の四角形を3個作り、リボンの色を入れながら編んでいき、12段目で1段目を拾って輪にする。底面と上面は、側面の一辺のビーズ3個を拾いながら編む。上面の編終りのテグスはボックスの中央に出して、4mmビーズで交差させてからリボンを作る。

C p.11 ターコイズボックス
材料 スワロフスキー5301そろばん形ビーズ(ターコイズ)直径4mm132個(本体)、(ホワイトオパール)直径4mm46個、(クリスタル)直径3mm10個(リボン)　テグス3号適宜

作り方 p.56より背の低いタイプ(側面3段)。リボンの蝶結びを4mmビーズで作る場合も、根元には3mmビーズを使用するといい。

D p.11 タンザナイトボックス
材料 スワロフスキー5301そろばん形ビーズ(タンザナイト)直径4mm112個(本体)、(ジョンキル)直径4mm20個、直径3mm31個(リボン)　テグス3号適宜

作り方 p.56の応用、薄型のボックス(側面1段)。側面は1段だけ編み、底面と上面をつける。

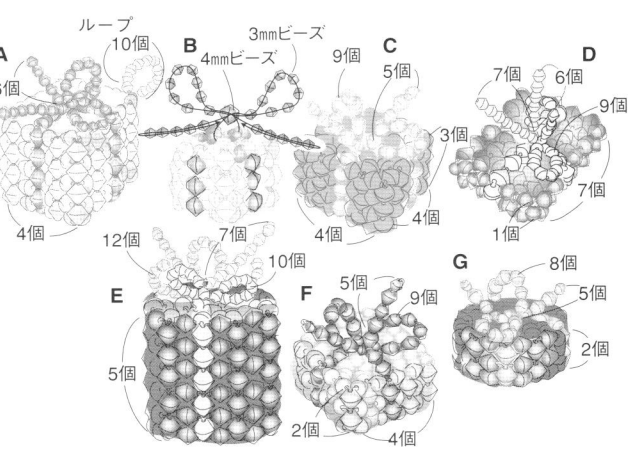

E p.11 ダークサファイアボックス
材料 スワロフスキー5301そろばん形ビーズ(ダークサファイア)直径4mm204個(本体)、(ライトサファイア)直径4mm36個、直径3mm58個(リボン)　テグス3号適宜

作り方 p.58より背の高いタイプ(側面5段)。リボンの輪は3mmビーズ2個分差をつけて、大小2個ずつ4個の輪を作る。

F p.48 オレンジボックス
材料 スワロフスキー5301そろばん形ビーズ(インディアンサファイア)直径4mm104個(本体)、(スモーキークォーツ)直径4mm42個、(スモークトパーズ)直径3mm10個(リボン)　テグス3号適宜

作り方 p.56より背の低いタイプ(側面2段)。リボンの端の長さに差をつける。

G p.48 グリーンボックス
材料 スワロフスキー5301そろばん形ビーズ(トルマリン)直径4mm120個(本体)、(エリナイト)直径4mm34個、直径3mm18個(リボン)　テグス3号適宜

作り方 p.58より背の低いタイプ(側面2段)。

Basic Technique

テグスの結び方　編終りのテグスは、編み方が複雑な場合、2〜3模様(補強するときはテグスが短くなるまで)編み戻すだけでほどけることはないが、シンプルな作りの場合(テグスにビーズを通すだけなど)は、テグスを何か所かで結ぶと安心。できるだけ結び目はビーズの中に隠して、ビーズ3個先くらいでテグスを切る。

テグスの継足し方　大きな作品を作る場合は、長いテグスだと編みにくくなるので、自分の扱いやすい長さ(1m程度)をまず用意し、編み始める。テグスが短くなってきたら途中でテグスをビーズの中に引き返し、3〜5模様ほど編み戻したら切る。そして新たなテグスで途中のビーズを拾い、編み進む。

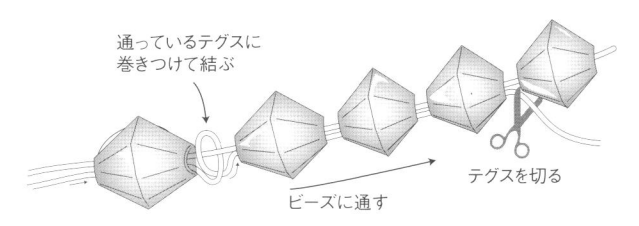

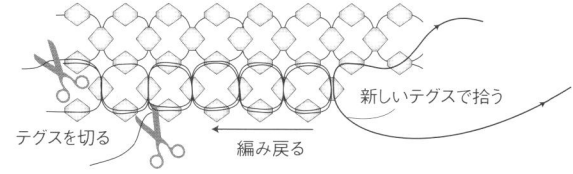

Information

メールオーダーのお知らせ

この本に掲載した作品の材料を通信販売いたします。写真と作り方ページを確認してお申し込みください。
これらのキットは、ビーズのみのキットです。
テグスは含まれていませんので、お近くの手芸店または釣り具店などでお求めください。

No.	写真のページ（かっこ内は作り方ページ）	作品名	キット価格
01	p.20　右上の写真 (p.69)	スパイラルピアス（ピンク、グレー系・ピアス用フック1組み含む）	￥2,600
02	p.20　右下の写真 (p.69)	スパイラルピアス（グリーン、ブルー系・ピアス用フック1組み含む）	￥2,600
03	p.22　写真の手前 (p.70)	スネークリング（ライトコロラドトパーズ・ベージュ系）	￥2,800
04	p.23　写真の手前 (p.70)	スネークリング（ジェット・黒）	￥2,800
05	p.23　写真の奥 (p.70)	スネークチョーカー（ジェット・黒）	￥14,600
06	p.28　左下の写真 (p.52)	フロストフレーミングリング（クリスタル、つや消しクリスタル）	￥4,000
07	p.30　左の写真 (p.75)	ブラックブレスレット	￥4,000
08	p.30　右の写真 (p.75)	ブラックリング	￥1,800
09	p.33　右上写真の右 (p.74)	バレエシューズ（クリスタル・透明／1個分、リボン含む）	￥3,300
10	p.36　(p.78)	フロストモチーフチョーカー	￥3,100
11	p.39　写真の奥 (p.79)	ウェディングチョーカー	￥4,800
12	p.39　写真の右中 (p.79)	ウェディングフラワーの大	￥7,500
13	p.39　写真の手前 (p.79)	ウェディングフラワーの小	￥5,000
14	p.50　写真の上段左 (p.53)	ヒルトップリング（インディアンレッド・オレンジ系）	￥2,300
15	p.50　写真の上段右 (p.53)	ヒルトップリング（クリソライト・ライトグリーン系）	￥2,300
16	p.50　写真の上段右 (p.53)	ヒルトップリング（エリナイト・グリーン系）	￥2,300
17	p.50　写真の中段左 (p.53)	ヒルトップリング（トパーズ・ライトオレンジ系）	￥2,300
18	p.50　写真の中段右 (p.53)	ヒルトップリング（インディコライト・ブルー系）	￥2,300
19	p.50　写真の下段左 (p.53)	ヒルトップリング（クリスタル・透明）	￥2,300
20	p.50　写真の下段中 (p.53)	ヒルトップリング（ブラックダイアモンド・グレー系）	￥2,300
21	p.50　写真の下段中 (p.53)	ヒルトップリング（ジェット・黒）	￥2,300
22	p.50　写真の下段右 (p.53)	ヒルトップリング（ライトサファイア・ライトブルー系）	￥2,300
23	p.50　写真の下段右 (p.53)	ヒルトップリング（ライトアゾレ・ライトグリーンブルー系）	￥2,300

お申込み方法
電話（午前10時〜午後6時受付け。土曜、日曜、祝日を除く）、またはファックス、郵便で、
本のタイトル『フェイバリット・ビーズジュエリー』と、
No.01〜23のキット番号と作品名、数量、お届け先（氏名、郵便番号、住所、電話番号）をお伝えください。

お申込み先
〒151-8524　東京都渋谷区代々木3-22-1　文化出版局　通販課
tel 03-3299-2555　　fax 03-3299-2580

＊商品の代金には消費税が含まれていませんので、別途加算されます。
＊1回のご注文につき、荷造り送料として一律500円（税込価格）を申し受けます。
＊お支払いは、お届けする商品に用紙を同封いたしますので、1週間以内にお近くの郵便局よりお振り込みください。
＊ビーズの在庫や輸入の都合により多少お待ちいただいたり、売切れの場合はご注文をお受けできないこともあります。
＊パールは天然のものなので、色や形が多少異なります。
＊撮影状況や印刷により、実際の色と多少異なる場合がありますのでご了承ください。
＊商品到着後1週間以内であれば、交換、返品をお受けします。すべての伝票類と品物を一緒にご返送ください。
＊お客さまのご都合による返品の場合、返送料はお客さまの負担となります。
＊価格は2002年9月現在のものです。

日柳佐貴子 くさなぎ・さきこ

阿佐ヶ谷美術専門学校デザイン科卒業後、
DCブランドのテキスタイル図案や企画を手がける。
その後、レディース小物のメーカーで、スカーフ、ハンカチ、
バッグなどの企画デザインを担当し、1994年フリーになる。
2000年、NHKテレビ「おしゃれ工房」に出演。
現在、子どもたちに絵画や造形を教える一方で、
"SAKISS"というブランド名でオーダーだけの
ビーズジュエリーの製作、販売をしている。
著書に『スタイリッシュ・ビーズジュエリー』（文化出版局刊）がある。
ホームページアドレス　http://www.sakiss.jp

＊おすすめのビーズショップ＊
それぞれ扱っているビーズや石は多少違いますが、
スワロフスキービーズやチェコビーズはすべてのショップで扱っています。

・アクセサリー瓢箪家　東京都台東区浅草橋1-26-6 竹内ビル　tel.03-3861-3694
・ウエスト・ファイブ　東京都台東区浅草橋1-23-1　tel.03-3865-7301
・貴和製作所（本店）　東京都台東区浅草橋2-1-10 貴和ビルB1～3F　tel.03-3863-6411
・コットンフィールド　東京都武蔵野市吉祥寺本町2-10-5　tel.0422-21-1406
・シュゲール　名古屋市名東区猪子石2-1607　tel.052-776-5599
・BEADS FACTORY東京　東京都台東区浅草橋4-10-8　tel.03-5833-5256
・ユザワヤ吉祥寺店　東京都武蔵野市吉祥寺南町2-1-25　tel.0422-79-4141

ブックデザイン　阪戸美穂
撮影　渡部さとる
イラスト　おちまきこ（p.44～47）
デジタルトレース　day studio / satomi d.+ yun o.
協力　高橋真奈美

Special Thanks
スワロフスキー・ジャパン株式会社

Make Your Own Favorite Jewelry with Beads
フェイバリット・ビーズジュエリー

2002年7月7日　第1刷発行
2002年9月6日　第3刷発行
著　者　日柳佐貴子
発行者　大沼淳
発行所　文化出版局
　　　　〒151-8524
　　　　東京都渋谷区代々木3-22-1
　　　　電話03-3299-2489（編集）
　　　　　　03-3299-2542（営業）
印刷所　株式会社文化カラー印刷
製本所　大口製本印刷株式会社

Ⓒ Sakiko Kusanagi　2002　Printed in Japan

お近くに書店がない場合、読者専用注文センターへ
フリーダイヤル 0120-463-464　ホームページ http://books.bunka.ac.jp/

Ⓡ 本書の全部または一部を無断で複写（コピー）することは、著作権法上での例外を除き、禁じられています。
本書からの複写を希望される場合は、日本複写権センター（tel.03-3401-2382）にご連絡ください。

ご注意／本書で紹介した作品の全部または一部を商品化、及びコンクールなどの応募作品として出品することは禁じられています。

好評既刊

スタイリッシュ・ビーズジュエリー
日柳佐貴子